실전 골프의 전략과 지혜

김한갑 지음

실전 골프의 전략과 지혜

발　행 | 2024년 6월 13일
저　자 | 김한갑
펴낸이 | 한건희
펴낸곳 | 주식회사 부크크
출판사등록 | 2014.07.15.(제2014-16호)
주　소 | 서울특별시 금천구 가산디지털1로 119 SK트윈타워 A동 305호
전　화 | 1670-8316
이메일 | info@bookk.co.kr

ISBN | 979-11-410-8953-5

실전 골프의 전략과 지혜

김한갑 지음

차 례

책머리에

　　우리는 중학교 때부터 영어를 배우기 시작하여 고등
학교를 거쳐 대학까지 10여 년 동안 영어를 계속 배우고도 사
회에 나와 변변한 영어회화 한 마디 못하여 다시 영어를 시작
해야 되는 비운을 맞보고 있다. 그것은 언어란 이론이기에 앞
서 생활 속에서 끊임없이 대화를 하면서 차근차근 익혀 나가
야만 숙달될 수 있기 때문이다.

　　골프도 마찬가지다. 골프도 이론보다 실제로 골프채
를 흔들어 보면서 기술을 터득해야만 기능이 숙달될 수 있는
것이다. 이론이 필요 없다는 것이 아니라, 이론은 하나의 지
침이 되고 기준이 되기는 하지만, 그것을 몸에 익히기 위해서
는 몇 천개 몇 만개의 볼을 치면서 자신의 기술을 터득해 나
가야만 진정한 플레이를 할 수 있고 그 묘미를 깨닫게 되는
것이다.

　　그렇기 때문에 똑같은 이론으로도 사람에 따라서 천
차만별의 스윙이 나오고 스트로크가 나온다. 스윙이 똑같은
사람은 그래서 단 한 사람도 없다. 같은 사람이라 하여도 오
늘과 내일의 결과가 다르게 나온다. 이런 점에서 골프란 구체
적 상황 변동에 따라 기본 기술을 응용하여 적응시키는 실천
적 스트로크라고 할 수 있다.

　　그런 의미에서 골프는 만 가지 이론보다도 하나하나
의 기술을 터득해 나가는 고난의 길이며, 도전의 과정이라고

할 수 있다. 이러한 골프를 시작하는 수많은 사람들이 동기야 어떻든 골프에 입문하게 되면 다른 사람과 마찬가지로 시행착오를 거치게 된다. 프로이든지 아마추어이든지 마찬가지이다.

다만 프로에 입문하려는 사람은 보다 더 열심히 체계적으로 훈련을 쌓음으로써 빨리 이치를 터득하게 되고, 아마추어는 시간이 허락하는 대로 연습을 하다 보니 여러 가지 점에서 시행착오를 거치면서 뒤떨어질 수밖에 없었던 것이다. 아마추어 중에도 일찍이 이 방면에 뜻을 두고 프로로 입문했다면 대성할 사람도 적지 않았을 것이다.

따라서 프로와 같은 고도의 기술을 다 터득할 시간과 여유가 없는 아마추어 골퍼에게 실천적 경험을 단축시켜주고, 일반 기술교본에서 다루지 않는 다양한 현장 경험을 서술하여 응용능력을 배양토록 하는 취지에서 이 책을 내놓게 되었다.

골프채를 잡은 지 어언 50여년, 이젠 나도 초로의 나이에 접어든지 오래다. 이 책이 젊은 세대에게 하나의 길잡이가 되어 하루빨리 기술을 향상하여 골프의 묘미를 맛볼 수 있기를 기대하고 바란다.

지금은 세기가 바뀐 지 20여년이 되고, 그 동안에 골프계도 크게 변했을 뿐만 아니라 근본적으로 탈바꿈하여 많은 젊은이가 이에 참가함으로써 완전히 새로운 경지를 맞이하고 있다고 하여도 과언이 아니다.

내 평생 이렇게 급격히 변화 발전한 때는 없었다. 이런 가운데 골프의 대중화가 크게 진전된 이 시점에서 더불어 골프의 세계화도 크게 진전되어 이제는 불가피 우리 국민도 세계로 나가 여러 외국인과도 더불어 사귀게 될 공산이

커졌다.

　　　그래서 이제 젊은이들이 해외에 나아가 이들과 더불어 사귈 때 골프를 치면서 드넓은 세상을 많이 경험하기를 진정으로 바란다. 많이 읽어주기를 바란다.

2024년 4월 김한갑

1. 아마겟돈의 대 결전

지구의 종말이 다가오면 선과 악이 아마겟돈 (Armageddon)에서 최종적으로 결전을 벌여 승자를 가려내는 웅장한 서사시가 전개된다. 그것은 마치 최후의 심판을 가르듯 피를 흘리면서 처절한 운명의 결전장이 되기도 한다.

처음부터 어느 한쪽이 일방적인 승리를 하는 것도 아니고 승패가 엇갈리면서 땀을 쥐게 하는 파노라마가 연출된다. 결전이 끝났을 때는 승자는 선이 되고 패자는 악이 된다.

골프 시합에서도 나흘 동안 선두 다툼은 치열하여 우열을 가리기 힘들 뿐만 아니라, 최종일 최종순간까지 그야말로 숨 가쁜 결전이 펼쳐진다.

4대 메이저 대회에 이르러서는 온 세계 사람들이 주시하는 가운데 손에 땀을 쥐게 하는 결전이 벌어진다. 그리하여 최후의 승자는 승리의 트로피를 높이 들고 환호하고, 패자는 말이 없다.

A. 그레그 노만의 비극

1989년 브리티시 오픈(British Open)의 경우 4라운드 연장전에 들어간 플레이오프 (play-off) 전에서 그레그 노만 (Greg Norman)은 2홀을 끝내고 상대방인 칼카베키아 (Calcavecchia)보다 1타 앞서 있었다.

세 번째 223야드 쇼트 홀에서는, 그레그 노만은 그린을 지나 에이프런(apron)에 온이 되고 칼카베키아는 깨끗이 온을 시켰다. 에이프런이라 해도 그레그 노만이 1점 앞서 있었기 때문에 붙여서 파를 잡아도 되었다. 그러나 그레그 노만은 그 특유의 기술로 홀에 넣어 버디를 잡으려고 볼을 쳤으나 볼은 홀을 지나 파를 잡기엔 부담이 가는 거리가 되었다.

이때 칼카베키아가 친 볼은 거의 홀에 들어갈 뻔했으나 약간 못미처 파를 잡았다. 그레그 노만은 결국 파를 놓치고 보기에 머물러 두 사람의 점수는 동점이 되었다.

마지막 4번째 452야드 홀에서 그레그 노만이 친 볼은 페어웨이 정면으로 잘 날아갔으나 그만 오른쪽으로 흘러 크로스벙커(cross bunker)에 빠졌다.

한편 칼카베키아의 볼은 오른쪽으로 휘었으나 관중에 맞고 페어웨이에 들어왔다. 그 뒤 벙커에서 친 그레그 노만의 볼은 다시 벙커에 빠지고 그곳에서 친 볼은 자갈밭에 들어가면서 점수를 잃게 되었다. 칼카베키아는 투 온에 성공하여 역전승을 거두면서 이 날의 승부는 대단원의 막을 내렸다.

이 날의 승부는 2홀까지 얻은 승점을 지키지 않고, 그레그노먼이 너무 점수를 벌릴 욕심을 냈기 때문이 아닌가 생각된다. 그 날 좋은 컨디션으로 치고 있었던 그레그 노만이 범타를 치려고 마음먹지는 않았을 것이다.

그레그 노만은 한 타 한 타 최선을 다하여 역사에 남을 명타를 날리려는 의욕에 불타 후퇴할 줄 모르는 샷을 구사하려다 마지막 4번째 홀에서 그야말로 주저앉고 말았다.

그레그 노만이 연장전에 약하고 최근까지 2:7 의 승패율로, 명성에 비하여 승률이 저조할 뿐만 아니라 랭킹 제1위이면서도 메이저 대회에선 큰 성적을 올리지 못한 것은 왜 그럴까?

1996년 마스터즈 대회(The Masters) 때만 해도 1, 2, 3라운드까지 압도적 우세를 유지했으나 마지막 4라운드에서 어이없이 무너져 챔피언 자리를 놓친 것은 웬일일까. 훤칠한 키, 날카로운 눈매에다 전매특허인 백 상어 모자, 거기에 호쾌한 티 샷. 무엇이 모자랐던가?

확실히 그가 나오는 시합을 보면 시원하다. 뿐인가. 그가 선두를 달릴 때는 스릴 만점으로 관전하는 묘미를 만끽할 수 있다. 그리고 그레그 노만의 퍼트가 들어가지 않았을 때 땅을 치며 분해하는 그 아들의 제스처, 실로 온가족이 하나의 파노라마를 연출하는 것 같았다. 그러나 그레그 노만은 높은 인기와 랭킹에도 불구하고 메이저 대회에서는 약하였다.

우리가 볼 때 그레그 노만은 토털 스코어에 신경을 쓰면서 챔피언을 획득하려는 마음보다는, 하나하나의 샷을 완벽하게 치면서 그때그때의 샷 구사에 더 희열을 느끼는 기술적 플레이어로 보인다.

그렇지 않다면 때로는 드라이버보다도 스푼으로, 또는 아이언으로 쳐서 안전한 샷을 구사하여 수세적 볼도 칠 줄 아는 플레이는 너무 약삭빠르다고 삼가고 있는 것은 아닐까?

그도 한때는 제대로 샷이 안 되어 고민한 적도 있고, 코치도 받으면서 교정도 하고 동양적 선사상(禪 思想)도 배워 심리적 조율을 거치기도 하였다.

그러나 골프란 운칠기삼(運七技三)이라고 하지 않았던가. 아무리 기술이 뛰어나도 정신적 안정이 깨져 심리적 불안을 느끼면 볼은 마음대로 가지 않는다. 뿐만 아니라 아무리 잘 쳤다 하더라도 떨어진 곳의 볼의 라이(lie)는 어렵게 되어 있어 그야말로 다음 샷을 하기가 극히 어려운 경우가 적지 않다.

따라서 4라운드 288타를 완전하게 구사한다는 것은 어렵지 않을까? 이 평범한 진리를 모를 리 없건만 비극의 사나이 그레그 노만은 항상 마지막에 관전자를 실망시켜 안타깝게 하고 있다.

세계 제일의 골퍼 그레그 노만이 이러한데, 하물며 우리 아마추어 골퍼에 있어서야. 우리 주위에서도 꽤 잘 친다는 플레이어도 러프에 들어간 볼을, 아직도 200야드나 남았는데 우드로 쳐서 토핑을 내는가 하면, 프레드 커플스(Fred Couples)의 흉내를 내며 멋진 스윙을 구사한다면서 뒤땅을 치는 등 모두가 완전한 샷을 구사하려다 수렁에 빠지는 경우가 얼마든지 있다. 위험을 감수하고 완전한 샷을 노릴 것인가, 아니면 차선으로 안전하게 칠 것인가. 한 번쯤은 생각해 봄직하다.

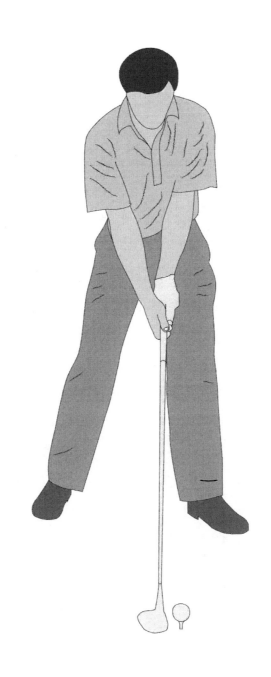

B. 길 모르간의 자멸

길 모르간(Gil Morgan). 1992년 미국 서해안 페블비치에서 벌어진 유 에스 오픈(US Open)에서 그는 1, 2라운드에 호조를 보여 선두에 나섰고, 2라운드 끝나고 9언더 파를 기록함으로써 후속 타자와 4타를 벌려 단연 두각을 나타냈다.

3라운드에서도 전반 7홀까지 계속 선두를 유지하여 12언더 파로 차점자와 7점차를 벌려 누가 봐도 챔피언 자리를 굳혀가는 것같이 보였다. 그러나 해변이라서 날씨 변화가 심하여 무슨 일이 생길 줄 몰랐다.

문제는 8번 미들 홀, 세컨드 샷 한 볼이 벙커에 빠져 순식간에 어긋나기 시작하더니 이곳에서부터 흔들리면서 더블 보기, 보기, 더블 보기, 보기 등을 연달아 기록하여 사흘 동안 벌어 놓았던 황금 같은 스코어의 대부분을 잃었다. 다른 사람들도 현상 유지에 바빠 언더 파는 몇 명에 불과하여 결과를 가늠하기 어렵게 되었다.

그 속에 톰 카이트(Tom Kite)가 끼여 있었다. 그 동안 메이저 대회에서 불운했던 그가 이번에는 프린지 (fringe)에서 어프로치 한 볼이 칩인(chip in)되어 길조를 암시했다. 마지막 날 결국 톰 카이트에게 3언더 파로 승리의 트로피가 돌아가고, 길 모르간은 쓰라린 고배를 마시지 않을 수 없었다.

이런 경기를 보고 있으면, 대선수들이 어쩌면 그렇게 쉽게 무너질 수 있을까 하는 의구심이 들며, 그 원인은 무엇이었을까 생각하지 않을 수 없게 한다.

사실 프로들은 나흘 동안 경기를 치르기 때문에 체력이 강인해야 된다. 또 체력이 강인하다 해도 나흘 동안 체력 유지를 위해 각기 특유의 체력단련법을 쓰는 것이 보통이다. 그리고 취침, 식사, 여가 선용 등에 차이가 있기 때문에 이것이 경기에 영향을 미쳐 라운드마다 성적이 달라진다고 볼 수 있다.

따라서 메이저 대회에서 최상의 컨디션을 유지하기 위하여 미리부터 계획적으로 대비하는 것이 통례라고 할 수 있다. 게리 플레이어(Gary Player)는 자서전에서 플레이 전에 집을 나설 때 기분이 상쾌하여 어쩐지 오늘은 이길 것 같다는 느낌이 들면 결과가 좋았다고 서술하고 있다.

따라서 컨디션 유지에 실패하거나 집에 복잡한 일이 있어 계속 스트레스를 받는다면, 게임도 잘 풀리지 않고 어제까지와는 반대로 지옥행을 왔다 갔다 하는 느낌이 드는 것이 골프경기라고 할 수 있다.

1996년 역시 메이저 대회에 운이 없는 그레그 노만(Greg Norman)은 미국 마스터즈 대회 (The Masters)에서 1, 2, 3 라운드까지 계속 처음부터 선두를 지켜 이번만큼은 마스터즈를 제패하는가 싶어 관전자의 관심을 고조시켰다. 그러나 4 라운드에서 역시 어이없이 무너져 우승을 놓치고 말았다. 애석한 일이었다.

골프의 신동이라 불리는 타이거 우즈(Tiger Woods)도 1996년 가을, 프로에 입문하여 3번째로 출전한 쿼드시티 클래식 대회 (Quad City Classic)에서 3라운드까지 회심의 장타를 날리면서 기존 프로들의 기를 죽이며 갤러리를 몰고 다녔지만, 그 역시 4라운드에선 오버 파로 무너져 우승의 기회를 놓쳤다.

이와 같이 세계적인 대선수들이 무너지는 것을 보면 아마추어들이 처음부터 끝까지 완전한 게임을 한다는 것은 불가능한 일인지도 모른다. 그런 점에서 점수가 좋지 않아도 낙심할 일은 아니라고 본다.

물론 우리나라 아마추어 골퍼는 주말이나 주중이라 하더라도 대개 하루에 게임을 마치기 때문에, 사나흘 동안의 컨디션을 유지하는 프로와는 다르다. 그러나 모처럼의 동창회나 직장 동료들이 모여 기량을 겨루는 게임에도 며칠 전부터 컨디션 조절을 하지 않으면 좋은 점수를 얻기는 어려울 것이다.

또 아마추어 골프 경기는 크게 이해관계가 얽혀 있는 게 아니고, 친목과 회동을 주목적으로 하는 경우가 많기 때문에 점수가 나쁘더라도 그렇게 상심할 필요가 없다.

다음 번에 좋은 점수를 내기 위하여 다시 스윙 연습을 계속하는 것도 즐거운 일이 아니겠는가.

세기말 10년 동안의 메이저 챔피언

연도	Masters	US Open	British Open	PGA Championship
87	Larry Mize	Scott Simpson	Nick Faldo	Larry Nelson
88	Sandy Lyle	Curtis Strange	Seve Ballesteros	Jeff Sluman
89	Nick Faldo	Curtis Strange	Mark Calcavecchia	Payne Stewart
90	Nick Faldo	Hale Irwin	Nick Faldo	Wayne Grady
91	Ian Woosnam	Payne Stewart	Ian Baker-Finch	John Daly
92	Fred Couples	Tom Kite	Nick Faldo	Nick Price
93	Bernhard Langer	Lee Janson	Greg Norman	Paul Azinger
94	Jose Maria Olazabal	Ernie Els	Nick Price	Nick Price
95	Ben Crenshaw	Corey Pavin	John Daly	Steve Elkington
96	Nick Faldo	Steve Jones	Tom Lehman	Mark Brooks

C. 존 댈리와 코리 페이빈

　　1991년 혜성과 같이 나타나 장타를 휘두르며 미국 PGA 챔피언 십(PGA Championship)을 제패한 사나아 존 댈리. 그는 그 뒤에도 아무도 흉내 낼 수 없는 스윙과 폼으로 1995년 브리티시 오픈(British Open)을 제패하여, 1,000만 달러의 사나이라는 명성과 돈을 한 손에 거머쥐고 사람들의 입에 회자되어 왔다.

　　이에 비하여 코리 페이빈은 작달막한 키에 보기에도 연약한 그가, 1995년 자로 잰 듯한 정확한 샷과 홀 곁에 붙이는 어프로치 샷으로 유 에스 오픈을 거머쥐었을 때, 세상 사람들은 또 한 번 골프의 묘미를 만끽하였다.

장타의 존 댈리(John Daly)와 단타의 코리 페이빈(Corey Pavin), 과연 골프는 어느 것을 택할 것인가.

물론 정확한 장타가 유리하다는 것은 다시 말할 것도 없지만, 티 샷만이 골프의 전부가 아닌 골프 게임에선 정확한 어프로치 샷과 그린 위의 퍼팅의 정확도는 반드시 힘만을 필요로 하는 것이 아니기 때문에, 수많은 장타자가 상을 거머쥐지 못하고 단구(短軀)의 노련한 플레이어에게 참패를 당하는 것은 흔히 있는 일이다.

골프를 배우기 시작하여 얼마 안 되면 거의 누구나가 비거리를 내려고 온갖 노력을 기울인다. 그러나 몇몇 타고난 사람이나 테니스, 야구 등의 운동을 하여 운동 센스가 발달한 사람을 제외하고는 대부분이 슬라이스나 훅에 고민하면서 거리를 내지 못하는 것이 상례가 아닐까?

한국에서는 골프의 초보자가 대개 드라이버 샷부터 연습을 시작한다. 그것이 옳건 그르건 간에.

아직 몸이 제대로 돌아가지도 않고 볼이 잘 보이지도 않는데 가장 긴 장대를 휘둘러 맞히려고 하는 것은, 도시에서 태어난 사람이 시골에 내려가서 추수철에 도리깨를 휘두르는 것만큼 어려우리라.

대개의 경우 남자든 여자든 20대 내지 30대에 취미로 골프를 배우기 시작할 때는, 그 사람의 허리 놀림과 손목의 힘에 의해서 공이 날아가는 거리는 어느 정도 정해진다고 할 수 있다. 그렇다면 똑바로 치는 연습을 해야 할 것이 아닌가?

물론 일부 교습자는 먼저 멀리 날려 보내야 된다고 주장하는 사람이 있다. 특히 한국인이 세계로 진출하여 훤칠한 키의 외국인과 경쟁하려면 그들과 똑같은 장타를 치지 않고는 챔피언을 바라볼 수 없다는 것이다. 사실 그렇다.

그러나 누구나 장타를 칠 수 있는 것이 아니다. 프로 중에서도 270야드 이상을 보통으로 치는 사람은 많지 않다. 250야드밖에 못 날리는 코리 페이빈이 존 댈리와 맞붙기 위해서 300야드를 날리려 한다면 어떤 결과가 나오겠는가? 틀림없이 몇 개는 러프에 들어가 그 동안에 벌어 놓은 스코어를 까먹고 우승 대열에서 떨어져 나가지 않았을까.

또 존 댈리도 항상 드라이버를 잡고 티 샷 하는 것은 아니다. 때로는 스푼으로 또는 롱 아이언으로도 티 샷 하여 정확하게 떨어뜨리려 노력한다. 하물며 골프 코스는 긴 코스도 있고 짧은 코스도 있으며, 넓은 곳도 있고 좁은 곳도 있다. 임기응변으로 때와 장소에 따라 클럽을 바꾸어가며 정확히 치는 것이 곧 우승의 길이라고 생각한다. 단타자라 해서 실망할 필요는 없는 것이다.

최근에는 골프 도구의 발달과 골프 기술의 개발로 멀리 날리면서도 정확히 치는 선수가 늘어났다. 특히 요즘은 정확한 장타를 날리는 신진 플레이어가 새로이 등장하고 있기 때문에, 장타와 단타의 택일이 문제가 아니라 양자의 조화를 이루어 균형 있는 플레이를 하는 루키(rookie)들이 나타남으로써 바야흐로 골프의 춘추전국 시대가 펼쳐지고 있는 것이다.

존 댈리냐 코리 페이빈이냐가 아니라, 보다 정확히 보다 멀리 날리기 위하여 새로운 타법과 새로운 도구가 끊임없이 개발되고 이를 터득해 가는 새로운 선수가 등장함으로써 골프는 끊임없이 발전해 가고 있다.

D. 매치 플레이와 스트로크 플레이

우리나라 아마추어 골퍼가 즐기는 경기는 18홀 정규 라운드를 최소 타수로 플레이한 경기자가 우승하는 스트로크 플레이(stroke play)가 주종을 이루고 있고, 각 홀의 승자로 판가름하는 매치 플레이(match play)는 친한 사람들 사이에서 행해지고 있다.

물론 스트로크 플레이나 매치 플레이는 각각 여러 가지 경기 방식이 있기는 하나, 근본적으로 스트로크 플레이가 라운드가 끝난 다음 총타수를 기준으로 하는 데 반해 매치 플레이는 홀마다 승패를 판가름하기 때문에 플레이하는 방식에서 차이가 있다.

일반적으로 스트로크 플레이 방식은 총타수를 기준으로 하기 때문에, 치기도 잘 쳐야 되지만 미스 샷을 방지하여 보기나 더블 보기 등 오버 파를 예방해야 함은 물론, 여러 홀을 잘 쳤다 하더라도 한두 홀에서 트리플 보기나 그 이상을 치게 되는 경우 회복이 어렵다.

이에 비해 매치 플레이의 경우는 홀마다 승패를 가르기 때문에 버디 또는 파를 목표로 하고, 잘못 쳐서 그 홀에서 지게 되는 경우 더블 보기 또는 트리플 보기를 쳐도 그 다음 홀의 승패 타수 계산에 영향을 미치지 않는다.

최근의 프로 경기에서는 상업주의 팽배로 말미암아 거대한 상금을 내걸고 한 사람의 우승자를 가려내는 스트로크 플레이 방식을 택하고, 라이더 컵(Ryder Cup)이나 프레지던트 컵(Presidents Cup) 등 명예를 걸고 싸우는 국가별 지역별 대항전은 스트로크 플레이와 매치 플레이 방식을 혼합하고 있다.

그리고 유명한 선수 몇 사람을 초빙하여 각축전을 벌이게 하는 소위 스킨스 게임(skins game)은 매치 플레이 방식을 택하고 있는 것이 보통이다.

물론 스트로크 플레이를 잘하는 사람이 매치 플레이도 잘 할 수 있겠지만, 스트로크 플레이에 비하여 매치 플레이 방식이 훨씬 도전적 플레이를 요하고 요행의 요소가 가미되어 그만큼 흥미를 북돋운다.

그리고 스트로크 플레이가 안정된 스코어에 중점을 두는 반면, 매치 플레이는 종국적 스코어보다도 그 홀에 중점을 두고 과감히 도전해 본다는 점에서, 앞으로 많은 가능성을 지닌 젊은 골퍼들에게는 시도해 볼 만한 방식이라고 할 수 있다.

그러나 홀 간 매치로 승패가 판가름 나기 때문에, 승패에 따르는 대가에 따라 도박적 요소가 있어 우리 사회에서는 터부(taboo)시 되고 있다.

일반적으로 오랜 경험과 실전으로 스윙이 안정되고 스코어의 기복이 심하지 않으나 더 이상의 기술 향상 의욕이 적은 연로자에 비해, 앞으로 얼마든지 발전할 수 있는 가능성을 가지고 있고 기술 연마의 필요성이 있는 젊은 골퍼는, 그 날 라운딩의 스코어에 관계없이 적극적으로 기회를 포착하고 새로운 기술을 시도해 보면서 다음에 싱글 핸디를 노리고 매치 플레이식 플레이에 도전해 보는 것도 좋을 것이다.

2. 골프신동 타이거 우즈의 등장과 골프계의 변화

세기말에 태어나 어린 시절부터 세상을 깜짝 놀라게 한 골프 신동 타이거 우즈.

그는 어린 시절부터 유소년과 아마추어 골프시합을 휩쓸며 골프신동이라 불리면서 자라왔다. 골프장학금을 받아 대학교에 들어갔으나 든든한 후원아래 학교를 그만 두고 골프계로 바로 뛰어 들어간지 얼마 안 되어 마스터즈대회를 휘어잡더니 연달아 연승을 거두어 골프팬들의 환호성을 받으며 급성장했다.

그러나 단단한 후원자이었던 아버지가 돌아가시자 삶의 중심을 잃고 일시 방황하며 골프팬들을 당황하게 하였다. 그 사이 세계의 골프계는 급변하였고 새로운 시대를 열게 되었으며, 그도 다시 마음을 가다듬고 되돌아와 다시 승리의 깃발을 높이 들었건만, 뜻하지 않은 교통사고로 사실상 재기하기 힘들게 되었다. 그러나 그가 남긴 업적은 너무나 커 기억할 만 하다고 할 수 있다.

A. 골프 신동 타이거 우즈의 등장

골프는 오랫동안 백인들의 노름잔치이었다. 특히 미국에서는 흑인들의 골프장 출입을 사실상 금지하여 흑인은 캐디나 하여야 한다고 공개적으로 노골적으로 비판하여 왔다.

이러한 추세에 흑인 선각자들 특히 찰리 시포드(Charlie Sifford)와 리 엘더(Lee Elder)는 과감히 도전하고 나서면서 우승을 거두는가 하면, 흑인의 지위향상과 PGA가입을 적극 주장하고 나서면서 끊임없이 노력하여 왔기 때문에 마침내 1995년 흑인의 PGA 가입이 가능하게 되었다.

한편 미국 공군부대에 근무하고 있었던 타이거의 아버지 얼 우즈(Earl Woods)는 태국에서 태국여자와 결혼하여 타이거 우즈(Tiger Woods)를 낳았는데, 일찍부터 우즈의 재능을 인정하여 그가 4살 때부터 골프를 정식으로 가르치기 시작하였다고 한다. 타고나면서부터 소질이 있었던 그는 일찍부터 그 재능을 발휘하여 1991년 15살 때에 유에스 주니어 아마추어 대회(US Junior Amateur Championship)에서 3연승을 하고 1995년부터는 아마추어 대회에서 연속 3승을 하게 되자 스탠포드대학교의 골프장학금을 받게 되어 이에 입학하여 대학교를 다녔으나, 1996년 대학교를 그만 두고 PGA에 등록함으로써 정식 골프선수가 되었다.

그 후의 그의 실적은 눈부실 만하였다. 1m 88cm의 키에 70kg의 호리호리한 체격의 타이거 우즈(Tiger Woods),

그는 프로에 입문하기 전에 이미 이름이 널리 세상에 알려져 든든한 나이키의 후원하에 프로 선수로 전향하면서 1996년 8월에 프로에 입문한 타이거 우즈는 PGA에 입회하자마자 화려한 경력을 쌓아가기 시작하였다.

프로 데뷔 50일 동안에 치러진 7개 대회 중 라스베이거스 초청대회(Las Vegas Invitational)와 월트 디즈니 클래식(Walt Disney Classic)의 2개 대회에서 우승을 차지하여 미국 PGA투어 상금 순위 23위에 껑충 뛰어올랐다.

타이거 우즈의 골프재능은 여러 곳에서 나타났다. 프로 데뷔 대회인 밀워키 오픈에서는 60위를 기록했지만, 그 뒤엔 11위, 5위, 3위, 1위, 3위, 1위라는 놀라운 기록을 보였고, 라운드당 평균 타수는 67.89타, 또 라스베이거스(Las Vegas)와 월트 디즈니 클래식(Walt Disney Classic) 양대 대회에서는 각각 데이비스 러브 3세(Davis Love 111)와 패인 스튜어트(Payne Stewart)등 기성세대를 따돌림으로써 쟁쟁한 기성 중견세대를 물리쳤다.

이어 다음 1997년에 들어와서도 메르세데스(Mercedes) 챔피언을 거쳐 4월에는 드디어 세계 4대 메이져대회의 하나인 대망의 마스터스 선수권 대회(The Masters Tournament)를 제패함으로써 모든 기록을 갱신하여 일약 대스타가 되어 골프계의 지각변동을 일으키었다.

이와 같은 대기록을 내게 된 것은 존 대리의 티 샷 거리를 훨씬 앞서는 322.6야드의 호쾌한 드라이버 샷에 유연한 어프로치 및 퍼팅 감각 등 그에게는 앞으로 더 다듬으면 발전할 소질이 충분히 있어 주목을 받는 골프신동임에 틀림없었다.

　　골프신동 타이거 우즈의 출현은 그러나 우연이 아니었다. 20세기말 골프가 대중화되면서 골프에 재능을 가진 선수가 예전에 비하여 훨씬 젊은 나이에 두각을 나타내고 있는 것은 새로이 일어나고 있는 현상이었다.

　　골프의 상금도 늘어나고 매스컴이 발달하면서 세계적으로 유명한 교습가의 교습도 비디오로 받을 수 있고, 우수한 선수의 경기도 위성중계로 볼 수 있기 때문에, 소질 있는 골퍼를 어릴 때부터 일찍 발견하여 교습을 시키면 그만큼 빨리 재능을 발휘할 수 있는 기회가 많아졌다고 말할 수 있다.

　　그래서 타이거 우즈 외에도 당시 젊은 필 미헬슨(Phil Michaelson) 팀 헤론(Tim Hereon) 저스틴 레오너드(justin Leonard) 등 젊은 선수가 두각을 나타내고, 한국인 중에서도 임성재 등과 같은 젊은이들이 돌풍을 일으키고 있는 것은 30대가 되어야 완숙한 경지에 이른다는 옛날과는 달리 그만큼 기간이 앞당겨졌다고 할 수 있다.

　　따라서 우리나라에서도 어린이들에게 일찍 골프교습을 시키기 위하여 열을 올리고 있다는 부모들이 많아졌다는 것은 우리 골프의 미래가 밝게 펼쳐질 것으로 기대된다.

　　그러나 신동은 오래 가지 못하는 경우가 있다. 그런 점에서 타고난 재질을 바탕으로 실전적(實戰的) 경험을 쌓아 자기 자신의 골프를 몸에 익혀 나가면서 꾸준히 연습하지 않으면, 새로운 신동에 추월당하여 생명이 길지 못하고 좌절하는 경우도 있으니, 계속 훈련을 쌓아가야 할 것이다.

타이거 프로데뷔 초기 7개 대회 전적 비교

(순위)

Tiger Woods(1996)		Jack Nicklaus(1962)		Arnold Palmer(1955)	
Milwaukee Open	T60	L. A. Open	T50	Phoenix	T10
Canadian Open	11	San Diego	T15	Tucson	T44
Quad City Classic	T 5	Bing Crosby	T23	Texas Open	T 6
B. C. Open	T 3	Lucky Int'l	T47	Houston	T22
Las Vegas int'l	1	Palm Springs	T32	Baton Rouge	T41
Texas Open	3	Phoenix	T 2	St. Petersburg	T18
Walt Disney Classic	1	New Orleans	T17	Miami Beach	T21

B. 타이거의 메이저 우승 과정

타이거는 역대 최고의 시즌이라는 2000년에 메이저 4대 대회 중 8번의 주말 라운드에서 도합 26 언더파를 기록했다. 90년대 후반에서 2010년대까지 타이거는 다른 선수들이 쫓아 올 생각조차 할 수 없는 맹렬한 기세로 우승함으로써 트로피를 손에 거머쥐었던 것이다.

2009년 이전, 타이거가 출전한 메이저 대회의 총 94번의 라운드 중에서 70타 아래로 언더파를 기록한 경우가 39번이나 되었고, 4라운드 중 오버파를 기록하고도 우승을 노릴 수 있다는 메이저대회라는 점을 고려하면 대단한 기록이었다.

하지만 이 후 참가한 메이저 대회에서는 26번의 주말 라운드에서 그는 딱 3번, 70타 이하의 언더를 기록했다. 타이거의 마지막 전성기라는 2013년까지, 그가 메이저 대회에서 추가 우승을 달성할 기회가 아예 없지는 않았다. 2009년 이후의 20회의 메이저 대회에서 타이거는 TOP 10만도 9번을 기록했고 그 중에서는 6번이나 4위 안에 드는 탁월한 성적을 거뒀다. 단지 우승만 못했을 뿐이었다.

그 동안 계속된 부상과 그에 따른 체력저하로 인한 마지막 라운드에서의 부진으로 타이거의 15번째 메이저 우승은 요원해보였다. 심지어 부상에서 성공적으로 돌아왔던 2018년에도 우승권에 들었던 메이저 대회 3~4라운드에서 과거와 같은 카리스마를 보여주지 못했기 때문에 우승 확률이 낮아

보였던 것은 사실이다.

하지만, 2019년 Masters Tournament에서는 선두에 2타차 뒤진 채 최종 라운드를 맞이하였고, 3라운드 5언더파에 이은 4라운드 2언더파의 기록으로 우승함으로써 본인 커리어 최초로 '메이저대회 역전우승(逆轉優勝)'이라는 대업을 이뤘다. 3~4라운드에서의 오랜 부진을 씻은 값진 승리로 전 세계 골프 팬들에게 자신의 건재함을 알린 것이다.

2008년까지 타이거는 총 14승의 메이저대회 우승을 거머쥐었고, 모든 대회에서 거의 우승한 유일한 선수였다. 그러나 2009년 PGA Championship에서 양용은에게 불의의 일격을 당한 뒤로는, 14승을 거두며 보여준 엄청난 카리스마와 경기력이 느껴지지 않았다.

그래서 스윙코치를 4번이나 갈아치웠지만 결과가 시원치 않아 결과적으로는 타이거의 부상 가중과 메이저의 연이은 실패만이 두드러지는 결과로 나왔다. 여러 가지 변화의 와중에 성과가 나지 않으니 타이거의 초조함은 메이저 라운드가 고조될수록 압박감으로 다가 왔을 것이다. 우승을 위해 열심히 노력하였지만 자꾸 흐르는 시간 앞에서, 그리고 자꾸만 고장 나는 자신의 육체로 인해 타이거는 예전 같지 않은 상태로 앞으로의 선수 생활을 지속하게 될 가능성이 컸다.

40세 중반을 찍은, 그리고 일상생활조차 불편함을 느끼는 심각한 부상 속의 타이거에게 '15번째 메이저 우승'이라는 기적을 바라는 것은 꽤나 무리한 요구처럼 들렸다. 부상 부위가 많이 보완된 2018년은 15번째 메이저 달성이라는 '무리한 요구'에 대한 답변이 기대되는 한해로 마무리 되었다. 15

번째 메이저 승리를 손에 넣을지도 모르겠다는 기대감을 안기에 충분한 활약을 보인 것.

　　The Open에서 우승 쟁탈전을 벌이던 끝에 최종 6위, PGA Championship에서는 단독 2위로 마쳤으며, 이어 치른 '플레이오프' 마지막 경기인 Tour Championship에서 통산 80승째를 거머쥐는 등 화려한 복귀를 알린 것. 이 후 무릎 등의 컨디션 조절 실패로 필 미켈슨과의 1000만 달러 이벤트에서 패하고 본인 재단이 주최하는 경기에서도 거의 최하위를 하는 등의 성적을 올렸다.

　　그리고 나서 이어 2019년 4월 열린 Masters Tournament에서 대회 통산 5번째 우승을 거머쥐며, 11년 만의 메이저 우승을 해내었다. 통산 메이저 15승째를 기록하였고, 여전히 쉽지 않겠지만 다시금 잭 니클라우스가 기록한 18회의 메이저 우승 횟수를 향한 여정이 시작된 것일까?

Tiger의 Major 우승

.... 1997년

Masters Tournament
   1999년   PGA Championship
   2000년   US Open
   2000년   The Open Championship
   2000년   PGA Championship_2nd Time
   2001년   Masters Tournament_2nd Time
   2002년   Masters Tournament_3rd Time
   2002년   US Open_2nd Time
   1997년   Masters Tournament
   2005년   The Open Championship_2nd Time
   2006년   The Open Championship_3rd Time
   2006년   PGA Championship_3rd Time
   2007년   PGA Championship_4th Time
   2008년   US Open_3rd Time
   2019년   Masters Tournament_5th Time

C. 타이거의 플레이 스타일

타이거 우즈는 말했다. "사람들은 메이저에서 숱한 승리를 안겨 준 스윙을 굳이 바꾸려는 나에게 멍청하다고 평가했습니다. 대체 스윙을 왜 바꾸는 거냐고 따져 묻기까지 했죠. 하지만 나는, 이런 변화를 통해야만 스스로 더 발전할 수 있다고 믿었습니다."

타이거가 술회했듯 그는 정상(頂上)의 위치에서 스윙 교정이라는, 기존에는 없었던 길을 걸은 바 있으며 그것도 두 번씩이나 말이다. 그러나 그는 모두 바뀐 스윙으로 정상에 올랐다. 스윙을 변경한 후 필드에 복귀, 그 때마다 세상을 호령했으며, 이를 통해 상금 1위의 자리와 올해의 선수 자리도 재입성 했다.

타이거는 장타로 필드를 장악할 수 있음을 보여 준 최초의 골퍼이었으며, 장타를 치기 위해 피트니스에 집중하는 트렌드를 만든 것도 그이다. 너무 지나친 근육운동이 부상을 야기했다는 일부 의견도 있지만 로리 매킬로이 같은 사례도 있어 아직 확실히 증명된 바는 없다. 다만, 장타가 곧 돈을 부른다는 것은 사실이어서 타이거 이후 드라이버로 300야드를 칠 줄 모르면 톱 플레이어가 되기 어려워졌다.

1997년 Masters Tournament에서 보여 준 타이거의 퍼포먼스는 많은 이들에게 충격과 동시에 영감을 주었다. 그 전에도 잭 니클라우스처럼 실제 '우드'로 된 드라이버로

300야드 가까이 친 선수도 있었고, 존 댈리처럼 '시즌 평균 거리 300야드의 시대를 연 선수도 있었지만, 타이거처럼 '승리를 위해선 장타가 필수라는 것을 몸소 보여준 사례는 없었다.

멀리 보낸 뒤 쇼트 아이언으로 세컨드 샷을 핀에 붙이는 타이거의 플레이 스타일이 많은 영향을 미쳐 지금은 누구나 비슷한 전략으로 경기를 펼치고 있기 때문에 각 투어협회는 코스의 전장을 늘이고 페어웨이를 좁히고 러프와 그린을 어렵게 편성하는 등 가지가지로 바쁘게 손을 대야 했다. 타이거로 인해 더욱 과학적이고 치밀한 분석과 업체 간 경쟁을 통해 드라이버의 성능향상 및 그에 따른 볼의 변경 등 골프에 쓰이는 도구 전체가 변혁의 시기를 맞이하게 되었다.

'장타'가 골프에서 최고의 무기임을 알려 준 타이거이지만, 실제로 드라이버 샷은 그의 커리어 내내 불안함을 감출 수 없는 약점이기도 했다. 무릎의 부상 그리고 행크 헤이니를 만나 스윙을 변경한 이후 드라이버는 더 불안정해졌고, 드라이버 때문에 불안한 경기력을 보여준 적도 많았다. 드라이버가 똑바로 가는 날이면 누구도 제어가 어려울 정도. 오죽하면 본인도 "내 Family Name이 우즈(Woods)가 아니고 페어웨어(Fairway)였으면 훨씬 좋은 경기력을 보여줬을 텐데…" 라고 자조적인 농담을 했을까.

반면에 아이언 샷은 매우 뛰어났다. 특히 요즘에는 잘 다루지 않으려는 롱 아이언, 이를테면 2번, 3번 아이언처럼 하이브리드나 로우 우드 넘버로 대체되는 아이언을 곧잘 사용했고, 이를 통해 방향이 불안정했던 드라이버의 약점을 보완

했다.

　　아버지의 손에 이끌려 그린과 그린 주변의 골프부터 시작한 타이거는 본능적으로 칩 샷과 퍼트를 잘 했고, 일부의 평론가들은 "타이거 골프의 정수는 그린과 그 주변에서 이루어진다." 라고 평가받을 정도로 숏 게임도 매우 뛰어 났다. 흔히들 '숏 게임 마스터'로 필 미켈슨을 말하지만 그는 창의적이고 도전적인 샷으로 임팩트를 많이 주었을 뿐이며, 안전하고 실제 승리를 이끄는 숏 게임을 자주 펼친 것은 타이거였다.

　　전성기에는 퍼트의 안정감 또한 매우 좋았다. 아버지 얼 우즈의 가르침대로 보고 있는 그린의 라이를 그대로 머리에 그려서 본 그대로 퍼팅하는 방식이었고, 이 방식은 긴박한 순간에 늘 효과를 주었다. 실제 투어 동료들이 뽑은 "경쟁자에게서 가장 빼앗아 오고 싶은 기술"을 설문하자 1위에 '타이거의 퍼팅'이 선정되었을 정도이다.

　　전반적인 스윙기술이 뛰어난 선수로서, 모든 샷을 하이 & 로우(high and low)로 나누어 드로우(draw)와 페이드(fade) 샷을 자유자재로 쳤으며, 긴장감이 고조되는 메이저대회에서도 이 기술들을 거리낌 없이 시도하여 성공하였으며 골프팬들에게 임팩트 있는 감동과 수많은 하이라이트 필름을 남겼다.

　　멘탈 또한 매우 뛰어나서 상대를 잡아먹을 듯한 기세로 경기 중엔 거의 미소도 보이지 않고 갤러리도 상대하지 않는 냉정함을 보였다. 시합 중 보인 고도의 집중력과 승부욕으로 전성기 시절엔 경쟁자를 두지 않았다. 실수를 하면

바로 회복할 줄 알았고, '어퍼컷' 세리모니 등을 통해 갤러리의 응원을 본인 것으로 할 줄 아는 영민한 경기운영 능력도 지녔다.

프로가 봐도 대단한 샷을 보여준다고 하였다. 메이저 우승자이자 역대 총 상금 순위에서도 TOP 10에 드는 짐 퓨릭(Jim Furik)은 "예전에 같이 라이더 컵에서 연습 라운드를 하면서 실제 타이거의 샷을 볼 기회가 있었는데… 이건 뭐, 그냥 나는 큰 실수만 안 해도 이 친구 덕분에 이길 수 있겠구나, 할 정도의 샷을 해요. 거리가 문제가 아니라 볼이 클럽에 맞아서 뻗어 나가는 걸 직접 보면 아마 무슨 소리인 줄 아실 거예요." 라고 인터뷰 했었고, 다른 PGA투어 동료들도 "볼 때마다 샷의 질이 너무 달라서 놀란다."고 할 정도로 차원이 다른 샷 메이킹 능력을 가지고 있었다.

D. 타이거의 우승 과정과 우여곡절

타이거의 1996년부터 2019년까지의 기록을 보면 682주 동안 제1위를 점하여 오면서 수 없는 우승기록과 상을 거머쥐어 최고위를 달리고 있었다. 그 중에서도 초기 10년 동안에는 누구도 따라올 수 없는 기록을 보였지만, 중반부터는 신체적 이상과 낯 뜨거운 불륜사건등 여러 가지 사건으로 어려움을 겪지 않을 수 없었다. 그러나 2019년 드디어 재생하여 마스터스대회에서 다시 승리하여 골프 황제의 위엄을 되살렸지만, 그 다음 해에 엄청난 교통사고로 발을 다쳐 다시는 필드에 돌아올 수 있을 까하는 의구심을 낳게 하였다.

타이거 우즈 역대 최고의 시즌이라는 2000년에 그는 메이저 4개 대회 중 주말 라운드에서 도합 26언더파를 기록했다. 1990년대 후반부터 2000년대 초기 8년 동안에는 다른 선수들이 쫓아 올 생각조차 할 수 없는 맹렬한 기세로 우승 트로피를 손에 쥐곤 했다.

2009년 이전, 타이거가 출전한 메이저 대회의 총 94번의 라운드 중에서 70타 언더파를 기록한 경우가 39번이나 되었다. 4라운드 총합 오버파를 기록하고도 우승을 노릴 수 있다는 메이저대회라는 점을 고려하면 대단한 기록이었다. 하지만 이 후 참가한 메이저 대회에서는 26번의 주말 라운드에서 그는 딱 3번, 70타 언더를 기록했다.

타이거의 마지막 전성기라는 2013년까지, 그가 메이

저 대회에서 추가 우승을 달성할 기회가 없지는 않았으나, 2009년 이후의 20회의 메이저 대회에서 타이거는 TOP 10만 9번을 기록했고 그 중에서는 6번이나 4위 안에 드는 탁월한 성적을 거뒀다. 단지 우승만 못했을 뿐이었다.

계속된 부상과 그에 따른 체력저하로 인한 마지막 라운드에서의 부진으로 타이거의 15번째 메이저 우승은 요원해 보였다. 심지어 부상에서 성공적으로 돌아왔던 2018년에도 우승권에 들었던 메이저 대회 3~4라운드에서 과거와 같은 카리스마를 보여주지 못했기 때문에 우승 확률이 낮아 보였던 것은 사실이다.

하지만, 2019년 Masters Tournament에서는 선두에 2타차 뒤진 채 최종 라운드를 맞이하였고, 3라운드 5언더파에 이은 4라운드 2언더파의 기록으로 우승함으로써 본인 커리어 최초로 '메이저대회 역전우승(逆轉優勝)'이라는 대업을 이뤘다. 3~4라운드에서의 오랜 부진을 씻은 값진 승리로 전 세계 골프 팬들에게 자신의 건재함을 알린 것이었다.

2008년까지 타이거는 총 14승의 메이저대회 우승을 거머쥐었고, 모든 대회에서 우승한 유일한 선수였다. 그러나 2009년 PGA Championship에서 양용은에게 불의의 일격을 당한 뒤로는, 14승을 거두며 보여준 엄청난 카리스마와 경기력이 느껴지지 않았다. 그래서 스윙코치를 4번이나 갈아치웠지만 결과가 시원치 않아 결과적으로는 타이거의 부상 가중과 메이저의 연이은 실패만이 두드러지는 결과로 나왔다.

대학 시절부터 고장을 일으킨 타이거의 무릎은 기존의 코치에게 '치명상'만큼은 피하는 수준에서 타이거 본연의 체형을 활용한 스윙을 지속적으로 연구해 왔고 우승을 위해 열심히 노력하였지만 흐르는 시간 앞에서, 그리고 자꾸만 고장 나는 자신의 육체로 인해 타이거는 예전 같지 않은 자신감으로 앞으로의 선수 생활을 지속하게 될지 의문감을 던져 주었다.

2017년 기준으로 자신의 스윙을 믿지 못하는 타이거가, 심지어 육체적인 도움조차 받지 못하고 정신적으로 기댈 수 있는 상대도 없던 그가 메이저 15승을 할 수 있을 것이라는 희망은 갖기 어려웠다.

잭 니클라우스는 1986년, 46세의 나이로 마지막 메이저인 Masters Tournament를 손에 넣었다. 하지만 잭은 선수 생활 중 치명적인 부상을 입은 적도 없었고, 당시는 지금보다 어린 선수들이 득세하는 투어 환경이 아니었다.

40대 중반을 찍은, 그리고 일상생활조차 불편함을 느끼는 심각한 부상 속의 타이거에게 '15번째 메이저 우승'이라는 기적을 바라는 것은 꽤나 무리한 요구처럼 보였다. 2017년에는 스윙 코치를 두지 않고, 몸의 부상을 최소화하는 트레이닝의 비중을 높이는 것으로 방향을 전환하였다.

그리하여 부상 부위가 많이 보완된 2018년은 15번째 메이저 달성이라는 '무리한 요구'에 대한 답변이 기대되는 한 해로 마무리 되었다. 그러나 15번째 메이저 승리를 손에 넣을지도 모르겠다는 기대감을 안기에 충분한 활약을 보인 것. 그리고 2019년 4월 열린 Masters Tournament에서 대회 통산 5번째 우승을 거머쥐며, 11년 만의 메이저 우승을 해내었다. 통산 메이저 15승째를 기록하였다.

E. 타이거의 상처, 호사다마인가

2008년까지 타이거는 총 14승의 메이저 대회 우승을 거머쥐었고, 모든 대회에서 3번 이상 우승한 유일한 선수였다. 그러나 2009년 PGA Championship에서 양용은에게 불의의 일격을 당한 뒤에는 14승을 거두며 보여준 엄청난 카리스마와 경기력이 느껴지지 않았다.

여러 가지 변화의 와중에 성과가 나지 않으니 타이거의 초조함은 메이저 라운드가 고조될수록 압박감으로 다가 왔을 것이다. 우승을 위해 열심히 노력하지만 자꾸 흐르는 시간 앞에서, 그리고 자꾸만 고장 나는 자신의 육체로 인해 타이거는 예전 같지 않은 자신감으로 앞으로의 선수 생활을 지속하게 될 가능성이 의문시 되었다.

2017년 기준으로 자신의 스윙을 믿지 못하는 타이거가, 심지어 육체적인 도움조차 받지 못하고 정신적으로 기댈 수 있는 상대도 없던 그가 메이저 15승을 할 수 있을 것이라는 희망은 갖기 어려웠다.

잭 니클라우스는 1986년, 46세의 나이로 마지막 메이저인 Masters Tournament를 손에 넣었다. 아마도 골프계와 타이거가 기대고 있는 증빙 자료는 이것일 것이었다. 하지만 잭은 선수 생활 중 치명적인 부상을 입은 적도 없었고, 당시는 어린 선수들이 득세하는 투어 환경이 아니었다.

40대 중반을 찍은, 그리고 일상생활조차 불편함을 느

끼는 심각한 부상 속의 타이거에게 '15번째 메이저 우승'이라는 기적을 바라는 것은 꽤나 무리한 요구처럼 들렸다. 적어도 2017년까지는. 2017년 연말에는 크리스 코모와도 결별하면서 스윙 코치를 두지 않고, 몸의 부상을 최소화 하는 트레이닝의 비중을 높이는 것으로 방향을 전환하였다.

부상 부위가 많이 보완된 2018년은 15번째 메이저 달성이라는 '무리한 요구'에 대한 답변이 기대되는 한해로 마무리 되었다. 그러나 15번째 메이저 승리를 손에 넣을지도 모르겠다는 기대감을 안기에 충분한 활약을 보인 것.

The Open에서 우승 쟁탈전을 벌이던 끝에 최종 6위, PGA Championship에서는 단독 2위로 마쳤으며 '플레이오프' 마지막 경기인 투어 챔피온십 즉 Tour Championship에서 통산 80승째를 거머쥐는 등 화려한 복귀를 알린 것. 부상 관리만 잘하면 2019년에는 뭔가 일어날지도 모른다라는 기대감을 갖게 해주었다.

2019년 4월 열린 Masters Tournament 에서도 대회 통산 5번째 우승을 거머쥐며, 11년 만의 메이저 우승을 해내었다. 메이저 15승째를 기록하였고, 여전히 쉽지 않겠지만 다시금 잭 니클라우스가 기록한 18회의 메이저 우승 횟수를 향한 여정이 시작된 것이다.

그러나 호사다마(好事多魔)이던가? 그 이듬해 그가 집을 나서면서 타고간 자동차의 운전을 하다가 네 갈레 길에서 운전을 잘못하여 길을 크로스 오버하여 사고를 크게 내면서 중상을 입고, 특히 가장 중요한 발에 골절을 입었으니, 이것은 운동선수로서는 보통일이 아니었다.

바로 입원하여 대수술을 받고 좀 나나지기는 하였
으나 선수생활에 결정적으로 타격을 받은 것은 불가피하여
본인도 그것을 인정하고 있는 듯이 보인다.

이제 그에게 남은 과제는 자기 못지 않은 재능을 갖
고 태어난 아이 찰스를 잘 길러 훌륭한 선수가 됨과 동시에
인격을 갖춘 사람으로 기르는 것이 더 큰 임무일 것이다.

3. 최근 21세기의 골프계의 동향

1945년 제2차 세계대전이 끝을 맺자 모든 식민지가 해방됨으로서 새로운 국가가 탄생하였으며, 이에 해방된 국가는 자유와 독립을 외치면서 각자 자유스럽게 나라를 세워 나갔다.

그러나 이러한 나라들은 대부분이 대영제국의 영향 하에 있었기 때문에 당장 해방이 되었다 하더라도 바로 영국의 문화를 벗어 날 수 없었을 뿐만 아니라 오히려 영국문화의 일부를 받아들여 이를 이어나감으로써 영국문화의 잔존시켜 이를 키워나갔다.

그리하여 받아들인 문화 가운데 하나인 골프가 각국에 번져나감으로써 골프문화는 세계적으로 확대되면서 각국에 골프장이 늘어나고 골프 치는 인구가 늘어남으로써 영국 북부 스코트랜드에서 시작되었다는 골프는 오늘날 전 세계적으로 확대되기에 이르렀다.

한편 미국은 18세기 말엽에 독립국가로 발전하면서도 사실상 영국의 골프문화를 이어받아 그 광활한 토지에 수많은 골프장을 건설운영하면서 영국과 맞먹어 오히려 오늘날에는 사실상 세계 골프문화의 중심지가 되었다.

A. 골프 붐의 확산과 골프장의 증가

오늘날 골프의 중심지는 영국과 미국으로 양분되어 있으나 실질적으로는 미국의 힘이 더 커져 세계 골프장의 절반이 미국에 있으며, 나아가 모든 골프문화의 중심이 미국으로 옮겨감으로써 중요한 골프운동의 태반이 미국에서 열리고 있다고 말할 수 있다. 전 세계의 국가별 골프장 분포와 코스는 38,081(2020년 말)개이며, 건설중이거나 계획중인 것이 500여개나 되는데, 그 중 약 절반이 미국에 있고, 이어 일본, 영국, 캐나다, 오스트레일리아 등에 집중되어 있다. 그러나 일본의 골프장은 거리와 규모가 작아 기타 4개 국가와는 차이가 있다.

한편 영국의 R&A의 발표를 보면, R&A 산하의 세계 골프인구 리포트에 의하면 미국을 제외한 전 세계 골프인구가 7년 전 보다 34%가 증가한 3,960만명에 이른 것으로 조사됐다.

영국왕립골프협회(R&A)는 2024년 2월 리포트를 통하여 미국, 멕시코 등을 제외하고 R&A가 관할하고 있는 영역에서 지난 2016년 2,960만명으로 집계된 필드 골프인구가 코로나19 시기에도 불구하고 2020년 3,453만명으로 증가한 데 이어 2년 만에 다시 15% 증가하여 3,962만 명으로 늘었다고 발표했다.

동 보고서는 코스에서 뿐만 아니라 파3 골프, 실내 시뮬레이터(simulator) 골프 및 드라이빙 레인지 사용 등으로 골프에 참여하는 인구는 총 6,120만명이라고 덧붙였다. 필 앤더튼 R&A의 최고 개발 책임자는 "골프의 인기는 최근 몇 년 동안 급증했는데, 이것은 전통적인 코스와 대체 포맷(alternative format) 모두에서 증가했다"고 설명했다.

팬데믹(pandemic)을 지나면서도 골프 인구가 늘었다는 건 중요한 의미가 있는데, 그중에는 스크린골프 등의 대체 코스 인구가 늘었다는 점이 주목된다. 앤더튼 책임자는 "더 많은 사람들이 스포츠에 참여하도록 장려할 필요가 있다"고 추가했다.

R&A의 지난 2024년 보고서에 의하면, 아시아는 R&A 관할지역 중 골프와 관련된 인구와 시장 성장세가 두드러졌으며, 골프 참여자가 아사아가 2,250만명이며, 유럽이 2,110만명으로 그 뒤를 따랐다. 필드 골프인구 만으로 한정해도 역시 아시아가 1,610만명으로 가장 많고, 유럽은 1,400만명으로 두 번째였다.

나라별 골프 인구를 보면 일본이 810만명으로 가장 많았고 캐나다(560만명), 대한민국(535만명), 영국(340만명), 독일(210만명)순으로 집계됐다. 가장 많은 골프인구를 가진 미국을 포함하면 한국은 세계 4번째인 셈이다.

한국만 한정해서 보면 빠른 골프 성장세를 확인할 수 있다. 총 인구 5,174만명인 한국은 핸디캡이 등록된 골퍼는 21만4천명에 그친다. 그중 남자는 11만5,781명, 여자는 9만6,041명이고 주니어는 2,178명으로 집계됐다.

한편 미국골프재단(NGF)이 지난해 발표한 미국 골프 인구 자료 보고서와 합쳐보면 전체 지구촌의 그림이 그려지는데, NGF는 미국에서 골프를 즐긴 6세 인상 인구가 총 3,750만 명으로 5년 전에 비해 17%가 증가했다고 발표했다.

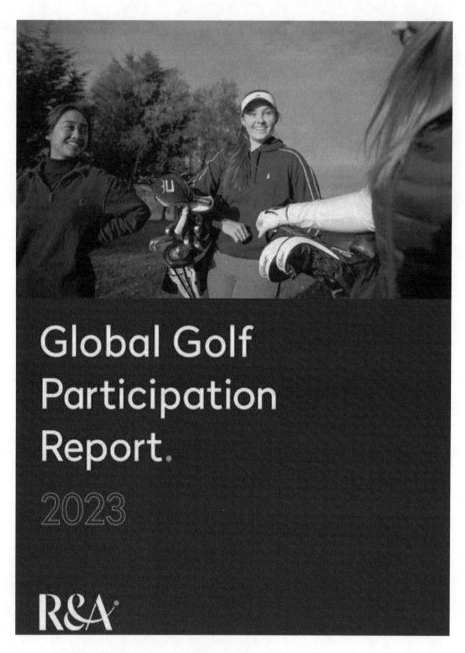

Global Golf
Participation
Report.
2023

R&A

R&A의 24년 2월 보고서

3. 최근 21세기의 골프계의 동향

미국의 NGF에 따르면 골프장 안에서만 즐긴 미국 인구는 1,260만명, 골프장 밖에서 탑골프, 드라이브색, 스크린골프, 드라이빙레인지 만 즐긴 인구가 1,240만명, 코스 안과 밖 모두에서 즐긴 인구는 1,250만명이었다.

R&A와 NGF의 지구촌 전체 자료를 합친다면 골프장을 이용하는 인구는 총 6,470만명이 되나, 시뮬레이션이나 탑골프, 연습장 이용객 등 골프 참여 인구까지를 합치면 지구촌 80억 인구에 골프를 하는 사람은 9,870만명인 셈이다.

한국만 한정해서 보면 **빠른** 골프 성장세를 확인할 수 있다. 총 인구 5,174만명인 한국은 핸디캡이 등록된 골퍼는 21만4천명에 그친다. 그중 남자는 11만5,781명, 여자는 9만6,041명이고 주니어는 2,178명으로 집계됐다.

올해부터 대한골프협회(KGA)와 네이버 및 스마트스코어 3개 기관이 핸디캡 보급운동을 전개하고 있으나 등록된 골퍼 수는 실제 골프 인구의 일부에 불과하여, 한국의 골프 인구는 535만명으로 집계됐고, 18홀에서 9홀, 파3 코스까지 모두 합친 코스 숫자는 844곳으로 보고됐으며 1개 코스당 골퍼는 6,339명으로 집계됐다.

한편 이와 같은 골프장에서 활약하고 있는 골프인구에 관한 통계는 통계를 내는 기관마다 약간씩 다르나 경향은 어느 정도 추정할 수 있다고 본다. 최근 우리나라의 통계지표를 보면, 2021년도 '한국골프지표'에 따르면 2021년 한 해의 골프활동인구는 1,176만여명으로 총인구의 31.5%로 추산되었으며 2017년보다 164% 증가한 수치였다. 세부 유형 중 '지속적인 골프활동인구(23.2%)'는 865만여 명으로 나타났다.

NGF가 발표한 미국 골프인구

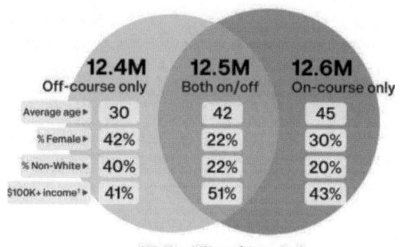

	12.4M Off-course only	12.5M Both on/off	12.6M On-course only
Average age ▸	30	42	45
% Female ▸	42%	22%	30%
% Non-White ▸	40%	22%	20%
$100K+ income† ▸	41%	51%	43%

37.5 million (age 6+)
+17% over past five years

전 세계 골프코스 국가별 비율

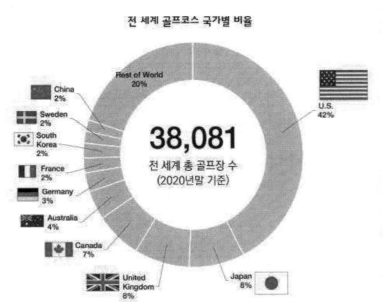

38,081
전 세계 총 골프장 수
(2020년말 기준)

Rest of World 20%
U.S. 42%
China 2%
Sweden 2%
South Korea 2%
France 2%
Germany 3%
Australia 4%
Canada 7%
United Kingdom 8%
Japan 8%

Source : National Golf Foundations 2021

골프장 보유 상위 20개국

국가	코스	홀	시설
미국	16156	240369	14139
일본	3140	45165	2202
영국	3101	46278	2660
캐나다	2564	35586	2200
호주	1584	23070	1501
독일	1054	14175	737
프랑스	811	11058	645
한국	810	9348	447
스웨덴	650	9150	463
중국	617	9054	402
스페인	493	7026	408
남아공	477	6192	460
뉴질랜드	416	5769	399
아일랜드	365	5598	322
네덜란드	350	4104	241
아르헨티나	348	4386	315
덴마크	347	4464	194
태국	317	4029	235
이탈리아	312	4122	264
인도	298	3744	282

세계의 대륙별 국가별 골프장

북아메리카	19,826(개)	(51%,	골프장수 17,298개)
유럽	8,940	(23%,	골프장수 7,132개))
아시아	6,349	(17%,	골프장수 4,517개)
오세아니아	2,109	(5%,	골프장수 1,998개)
아프리카	932	(2%,	골프장수 875개)
남아메리카	708	(2%,	골프장수 651개)

세계 10대 골프코스

2009~2010년 세계 10대 코스

순위	코스	위치	설계자	개장연도
1	파인밸리	미 뉴저지주	해리 콜트	1918
2	사이프러스포인트	미 캘리포니아주 페블비치	앨리스터 매킨지	1928
3	오거스타내셔널	미 조지아주 오거스타	앨리스터 매킨지, 보비 존스	1933
4	세인트앤드루스(올드)	스코틀랜드 세인트앤드루스		1400년대
5	로열카운티다운	북아일랜드 뉴캐슬	올드 톰 모리스	1889
6	시네콕힐스	미 뉴욕주 사우샘프턴	윌리엄 플린, 딕 윌슨	1931
7	페블비치	미 캘리포니아주 페블비치	잭 네빌, 더글러스 그랜트	1919
8	오크몬트	미 펜실베이니아주	헨리 폰즈	1903
9	뮤어필드	스코틀랜드 글랜스	톰 모리스	1925
10	메리언(동)	미 필라델피아주 애드모어	휴 윌슨	1912

출처: 미국 〈골프매거진〉

파인밸리

B. 골프 상금액의 증가

골프 붐이 일어나기 시작하자 세계의 선수들이 미국과 영국의 대회에 모여들기 시작하여 이곳에서 이김으로써 일약 거금을 획득하였다.

세기 초에 일약 타이거가 4개 메이져대회를 휩쓸자 타이거슬램이라는 신조어가 생기면서 거금을 검어쥐어 신동에서 속칭 황제로 등극하였으니, 그가 운전사고로 신음하고 있는 동안 이젠 스페인 출신 온람(JON Rahm)이 두각을 나타내어 이제는 그가 상금왕을 차지 하였다.

그들이 받은 상금액은 해마다 증가하여 이제는 메이저대회에서 한번만 승리하여도 수백만 달러 즉 한국돈으로 수십억원의 상금이 들어오니 골프게임은 어느 사이 황금게임을 변하였다고 하여도 과언이 아니다.

그러한 선수 측에 한국의 젊은 선수가 이름을 올리어 임성재같은 선수가 활약하고 있다는 것을 보면 가슴이 벅차오름을 느끼지 않을 수 없다.

타이거 슬램이라는 신조어가 나올 정도로 타이거 우즈가 2000년 브리티시 / U.S / PGA 챔피언십의 3개 대회를 우승한 뒤에 2001년에 들어와 마스터스 토너먼트를 우승한 것을 총칭하는 말까지 생긴 일이 있다.

골프에서 그 해에 모든 4대 대회를 우승하는 것을 그랜드 슬램(Grand Slam)이라 하며 커리어 내에 모든 메이저 대회를 우승하는 것을 커리어 그랜드 슬램(Career Grand Slam)이라고 하는데, 타이거 우즈는 2000년 브리티시 오픈 우승과 동시에 커리어 그랜드 슬램을 달성했으며 그해 PGA챔피언십과 2001년 마스터스 토너먼트 우승을 통해 속칭 타이거 슬램(Tiger Slam)을 달성하였다. 최근 23년에 마스터스에서 우승한 욘 람 선수가 PGA시즌 최고 상금을 경신하였다.

욘 람(스페인)이 '명인열전'으로 불리는 미국프로골프(PGA)투어 첫 메이저인 마스터스토너먼트에서 우승하면서 상금 324만 달러(42억7,356만원)를 보태 역대 시즌 최고 상금액을 경신했다.

욘 람은 미국 오거스타의 오거스타내셔널 골프클럽(파72 7,475야드)에서 열린 제87회 마스터스를 우승하면서 시즌 4승에 상금 금액에서 1,328만8,540달러(175억3천만원)로 올라서며 이전 선두 스코티 셰플러(미국)를 역전하면서 세계 골프랭킹도 3위에서 1위로 올라섰다.

욘 람이 마스터스에서 우승하면서 시즌 상금 최고액을 경신했다. 욘 람(스페인)이 '명인열전'으로 불리는 미국프로골프(PGA)투어 첫 메이저 마스터스토너먼트에서 우승하면서 상금 324만 달러(42억7,356만원)를 보태 역대 시즌최고상금액을 경신했다.

욘 람은 2023년 4월 10일(한국시간) 미국 오거스타의 오거스타내셔널 골프클럽(파72 7,475야드)에서 열린 제87회 마스터스를 우승하면서 시즌 4승에 상금 금액에서도 1,328만8540달러(175억3천만원)로 올라서며 이전 선두 스코티 셰플러(미국)를 역전했다. 세계 골프랭킹도 3위에서 1위로 올라섰다.

지난 해 하와이에서 열린 특급대회 센트리토너먼트에서 우승하며 270만 달러를 받은 람은 아메리칸익스프레스 우승으로 136만8천 달러, 특급대회인 제네시스인비테이셔널 우승으로 무려 360만 달러를 벌었다. 올해 PGA투어 특급 대회 13개는 총상금 2천만 달러인데 그중 2개에서 우승한 데다 마스터스 우승으로 역대 시즌 총상금을 경신한 것이다.

PGA투어의 역대 한 시즌 상금액의 종전까지 1위는 지난해 마스터스를 포함해 4승을 거둔 스코티 셰플러(미국)의 2021~22시즌의 1,317만6,910달러다. 셰플러는 지난주까지만 해도 1,163만1,495달러로 선두를 지켰다. 최고 상금(총 2,500만 달러)이 걸린 더플레이어스와 특급대회 WM피닉스오픈을 우승했기 때문이다.

이번 마스터스에서 공동 10위를 해서 43만2천달러를 받으면서 시즌 상금은 람에 이어 2위(1,206만3,495달러)로 내려갔다. 하지만 3위 맥스 호마(미국)의 777만달러에는 거의 2배 차이다.

셰플러의 현재까지 상금만으로도 통산 시즌 3위로 올라섰다. 아직 시즌이 절반 가까이 남은 상황에서 두 선수의 상금이 역대 시즌 상금 기록들을 제친 건 이례적이다.

통산 시즌 상금 기록을 보면 지난 2004년 메이저 PGA챔피언십을 포함해 한 시즌 9승을 올렸던 비제이 싱(피지)이 5위(1,090만 달러)를 차지했다. 타이거 우즈(미국)는 메이저 PGA챔피언십을 더해 시즌 7승을 거둔 2006~2007년 시즌서 6위를 하는 등 역대 톱10 기록 중에 4번 올랐다.

스페인 골퍼 욘 람이 마스터스에서 우승
[사진=마스터스]

역대 시즌에서 상금왕에 올랐던 선수들은 대체로 그 해 마스터스나 PGA챔피언십에서 우승을 거뒀다. 올해의 람, 지난해 셰플러, 조던 스피스(미국), 우즈가 그랬다.

　　오거스타내셔널이 밝힌 올해 총 상금은 1,800만 달러 (237억4,200만원)로 지난해 1,500만 달러에 비해 300만 달러 늘었다. 우승 상금도 지난해 270만 달러에서 54만 달러가 증액됐다.

4. 앨버트로스의 꿈

9만 리를 날아간다는 하늘의 거조 앨버트로스.

보기에도 황홀하고 웅장하여 누구나가 한번 날아보고 싶은 거리. 그것은 옛날부터 사람들의 꿈이었고 희망이었다. 그로 인해 수많은 수단과 방법이 연구 개발되고 도구가 발명되었다.

그러나 정작 사람 자신은 날지 못한다. 장대를 들고 높이 뛰어보건만 사람은 역시 대지의 주인공일 뿐.

그래서 앨버트로스는 영원한 꿈일런지도 모른다.

한편 이를 휘둘러 하늘 높이 볼을 날리려는 소망은 갖가지 스윙으로 연결되어 버디, 이글, 그리고 앨버트로스의 꿈을 실현시켜 가고 있다.

A. 골프의 거리와 정확성

골프는 결국 거리와 정확도의 게임이다.

티잉 그라운드에서 티 샷을 한 후 그린에 이르기까지 일정한 거리를 정복하기 위해서는, 처음엔 긴 거리를 쳐서 목표 지점에 접근해야 한다. 그리고 목표 지점에 다가가서는 반드시 긴 거리만이 아니라 때로는 짧은 거리로 공략하는 경우도 있어, 장단의 조화가 필요하다.

이러한 거리의 정복은 필연적으로 샷의 정확성을 필요로 한다. 목표 지점에 정확히 떨어뜨려야 하며, 그렇지 않은 경우는 때로는 OB(out of bounds)가 나거나, 물에 들어가거나, 러프에 빠져 헤어나오기 힘들게 된다.

더구나 목표 지점에 가까이 가서는 그린을 에워싸고 있는 벙커를 넘어서 그린에 안착시키기 위해서는 정확한 샷으로 정확한 거리를 확보하지 않으면 대부분 벙커에 떨어져 곤욕을 치르게 된다.

또 반드시 벙커가 아니라도 그린 주변의 러프에 떨어지면, 그곳에서 헤쳐 나오기 위하여 때로는 피칭으로 때로는 로브 샷(lob shot)으로 홀에 다가가야만 한다.

이럴 때는 힘보다 감각과 센스가 요구되기도 한다. 퍼팅 그린 위에 올라서서도 철저한 거리 감각과 방향 측정 그리고 그린 표면의 독도 능력의 삼위일체가 이루어지지 않으면, 목표를 눈앞에 두고도 두 번 세 번 놓치는 경우가 있다.

뿐만 아니라 거리와 정확성을 어느 정도 기할 수 있게 되었다 해도 비가 오고 때로는 바람이 불어 감각과 시계(視界)가 흐려지면 일순간 모든 것이 흐트러지게 된다.

이것은 골프란 사람이 하는 운동인 만큼 자신의 체력과 감각이 절대적으로 필요하고, 또 이러한 조건이 자연의 변화와 생리적 변화에 따라 크게 영향을 받기 때문에 천편일률적으로 단일한 동작을 기할 수 없다는 데 문제가 있는 것이다.

이와 같이 의외로 간단한 것 같으면서도 파고들수록 어려워지고 묘미가 있는 것이 골프이다.

한편 이렇게 거리를 정복하고 정확성을 기하기 위한 도구로 우리는 14개의 클럽을 사용한다. 말하자면 무기에 해당한다고 할 수 있다.

무기는 사용하는 사람의 능력에 따라 효용이 크게 달라진다. 때로는 장거리에 능한 사람이 있는가 하면 때로는 정확성 확보에 능한 사람이 있어 양자를 다 구비한 사람이 우승의 확률이 높다. 그런 의미에서 골프란 조화와 균형의 운동이라고도 말할 수 있다.

B. 드라이버와 비거리(飛距離)

얼마나 많은 사람들이 티 샷에 울고 웃었던가?

모든 홀의 공략은 티잉 그라운드에서의 티 샷에서부터 시작되고 첫 타의 성공 여부에 따라 그 홀의 공략 여하가 결정된다.

따라서 프로나 아마추어를 막론하고 제1타를 잘 치기 위하여 드라이버를 들고 힘껏 날려 될수록 멀리 똑바로 침으로써, 페어웨이의 안전한 지점으로 공을 보내려 한다.

그러기 위하여 수많은 시간을 드라이버의 스윙 연습에 할애하고 새로운 드라이버를 구입하거나 새로운 타법을 개발하여 이에 대비하고 있다.

드라이버는 결국 비거리(飛距離)를 내는 무기이다. 비거리는 볼이 하늘 높이 날아 체공 시간이 길면서도 일단 땅에 떨어지면 런이 많아 한없이 굴러가게 해야만 가능하다. 이러한 장타의 요건은 볼의 각도, 볼의 초속, 볼의 회전에 의하여 좌우된다.

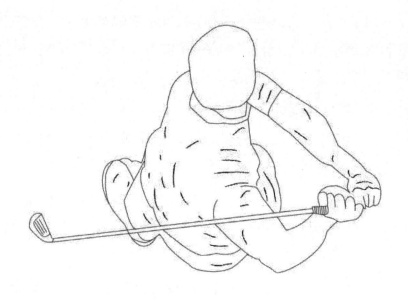

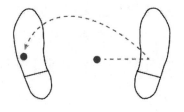

볼의 날아가는 각도를 좌우하는 것은 클럽 헤드의 로프트에 달려 있다. 드라이버의 경우는 로프트가 9~12도까지가 보통이다. 힘 있는 프로들은 9도짜리 드라이버로 270~280야드 이상 장타를 날려 미들 홀은 쇼트 아이언으로, 롱 홀은 미들 또는 롱 아이언으로 투 온시켜 이글이나 버디를 노린다.

볼의 초속을 가속화시키려면 원운동을 크게 하여 클럽 헤드의 속도를 가속화시켜야 한다. 그래서 샤프트의 길이가 길어졌다. 최근에는 45인치가 넘는 클럽까지 나왔다.

그러나 아무리 세게 날려도 볼이 백 스핀이 먹어 포물선을 그려 날아가지 않으면 비거리가 나지 않는 것이 볼의 속성이다.

아마추어의 볼이 처음부터 하늘 높이 솟았다가 내려오는데 비해, 프로의 볼은 직구로 날아가다 점차 포물선을 그리면서 날아가는 것을 볼 수 있다. 최근에는 런까지 가속시키는 타법이 연구되고 있다니 정말 드라이버의 마력은 어디까지 갈지 궁금하다.

이러한 비거리를 내는 드라이버 제작의 최근 특징은 우선 대형 클럽 헤드의 탄생으로 나타났다. 헤드가 커짐으로써 자연히 스위트 스포트가 넓어져 공을 보다 쉽게 맞힐 수 있게 된 것이 특징이다.

종래에는 클럽 헤드를 크게 만들면 그만큼 무거워져 컨트롤이 어려워 크게 만들지 않았으나, 과학의 발달로 새로운 소재가 개발되면서 퍼시몬에서 메탈로, 메탈에서 티타늄으로 발전하여 초경량화되면서 강도가 강화되었다.

이에 더하여 클럽 샤프트의 무게도 가벼워지면서 샤프트의 길이가 종래보다 1인치 또는 2인치 이상 길어진 드라이버가 탄생하였다. 바야흐로 골프채도 경쟁 시대에 들어갔다고 할까. 골프채 시장에도 최근 급격한 변화가 일어나고 있다.

최근까지만 해도 메탈 우드 중에서도 미국의 캘러웨이 골프채가 유행하더니 요즘은 히로혼마 메탈 우드 드라이버가 유행하여 별을 하나 둘 셋 넷, 따지게 되었다.

또 티타늄으로 만들었다는 여러 가지 드라이버는 돈을 주고도 못 살 정도로 희귀품인데도 이를 사려고 줄을 서고 있다니, 하늘 높이 비거리를 내려는 골퍼들의 욕망을 채우기 위한 상술과 과학의 발달을 엿볼 수 있다.

이러한 드라이버로 제1타를 길게 날려 페어웨이에 안착시킬 때 제2, 제3의 페어웨이 샷이나 어프로치 샷을 용이하게 할 수 있음은 말할 것도 없다. 드라이버 샷 그것은 곧 골프의 제1보이다.

그럼에도 불구하고 멀리 날면 날수록 조그마한 오차로 인한 방향의 편향이 심하여, 때로는 슬라이스가 때로는 훅이 나서 볼은 페어웨이에 떨어지지 않고 OB가 나거나 러프에 들어가 낭패를 보게 된다.

PGA 프로의 경우에도 페어웨이 적중률이 7~8할대에 머문다고 하니, 아마추어 골퍼의 경우는 어떨지 짐작이 간다.

대부분의 아마추어 골퍼들은 로프트가 아주 낮고 샤프트가 길어 컨트롤하기 어려울 뿐만 아니라 몸에 잘 맞지 않는 클럽을 그대로 쓰고 있기 때문에, 드라이버를 잘 구사하는 것이 여간 힘든 게 아니다.

그러나 이것을 극복하는 자는 승리하고 극복하지 못하는 자는 주저앉는다. 따라서 드라이버를 정복하는 이론과 비법이 끊임없이 발전해 왔다.

C. 착각: 제1호
드라이버가 스푼보다 멀리 간다

　　모처럼 주말에 골프 약속을 하고 잔뜩 기대에 부풀어 있었건만, 뜻하지 않게 친구 친상을 문상한다던가, 상경한 친구를 만나 밤늦게 술을 마시게 되는 경우가 있다. 그리고 골프를 칠 기대에 부풀어 일찍 쉬려고 잠들었지만 밤중에 깨서 잠을 설친 경우, 교통 혼잡 때문에 두세 시간 운전대를 잡고 가까스로 시간에 맞춰 클럽하우스에 도착하는 등 사람에 따라 몸 컨디션은 그때그때 크게 다르다.

　　프로도 4일 동안의 경기 결과를 보면 첫날과 이튿날 그리고 사흘 나흘이 되면서 컨디션이 크게 달라져 선두 다툼이 많이 변하는 것을 볼 수 있다.

　　아마추어의 경우는 여가를 이용하여 골프를 치기 때문에, 컨디션 조절에 만전을 기하기가 아주 어렵다. 문제는 이러한 컨디션에 따라 휘두르는 첫 홀 티 샷의 성공 여부이다.

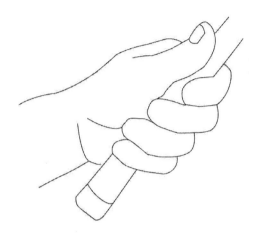

어제 연습장에서 잘 나가던 경우만 믿고 휘둘러 댄 공이 가끔 엉뚱한 곳으로 날아가거나 땅볼이 되어 코앞에 떨어지는 경우도 있다.

문제는 자신의 현재 컨디션을 고려하지 않고 몸이 미처 풀리기도 전에, 45인치 드라이버를 휘둘러 장타를 노려 본 데 있다.

로프트가 낮고 손잡이가 긴 드라이버는 장타를 날려 제2, 제3의 페어웨이 샷이나 어프로치 샷을 유리하게 하는 데 결정적 요인이 되나, 그것은 자신이 바라던 대로 잘 맞았을 때의 이야기이다.

아직 몸이 풀리지 않고 스윙 폼도 안정되지 않은 상태에서 공을 친다면 최상의 결과가 나오기 어렵다.

날씨도 나빠 비가 부슬부슬 오거나 안개가 잔뜩 껴서 목표를 가늠하기 힘들 때, 최상의 샷을 제1타에서 내려는 것은 무리다.

더구나 힘이 약한 여성 골퍼, 그리고 나이가 50이 넘은 시니어 골퍼는 체력에 한계가 있어 처음부터 좋은 샷을 날리려는 것은 무리이다. 골프를 업으로 하고 있는 프로나 아마추어이면서도 거의 매일 골프장에서 사는 싱글 핸디캐퍼의 경우를 제외하고는, 아마추어 골퍼가 100% 정확한 티 샷을 하기는 어렵다. 아무리 연습을 많이 했다 해도 말이다.

그러나 우리는 착각을 하여 처음부터 드라이버를 꺼내 자신의 기록 220m를 내려고 벼르다가, 150m 정도밖에 나가지 않거나 OB 또는 러프에 들어가 기분을 잡치는 경우가 있다.

결국 그때의 컨디션을 고려하지 않고 클럽을 잡는 데 문제가 있는 것이다. 몸이 풀리지 않은 상태에서 드라이버가 스푼보다 멀리 똑바로 나간다는 보장은 없다.

이런 경우를 대비해서 드라이버 대신 스푼(spoon) 또는 바피(baffy)를 갖고 티 샷 연습을 하여 한 단계 낮춰 잡는 습관을 갖는 게 좋다고 본다. 드라이버보다도 이들 클럽이 로프트가 크고 샤프트의 길이가 짧으므로 컨트롤하기가 쉬울 뿐만 아니라, 몸이 풀릴 때까지 두서너 홀은 로프트가 큰 이들 클럽을 들고 치면 그만큼 심리적으로 안정되어 미스 샷을 줄일 수 있고, 거리도 따라서 더 나간다.

아니, 아이언으로 친들 어떠하리!

문제는 판단이고 그것을 실행에 옮길 수 있는 배짱이다. 몸이 풀리고 자신이 생기면 드라이버를 한번 날려 본다. 창공을 나는 백구, 그것은 잘 맞았을 때만 통쾌한 것이다.

D. 착각: 제2호

긴 클럽 긴 그립으로 치면
볼이 멀리 간다

긴 클럽 긴 그립으로 치면 볼이 멀리 나간다.

새로운 소재의 발달과 기술 발달로 골프 클럽도 해마다 달라져 이젠 크게 유행을 타게 되었다. 한때 외국에 갔다 오면 새로운 드라이버를 갖고 온다거나, 또는 외국에 있는 이들에게 부탁하여 최신 클럽 하나쯤 갖고 오게 하는 게 보통이었다. 더구나 최근에는 골프 용구 관세가 크게 낮아지면서 국내에서도 쉽게 외국 골프 클럽을 구할 수 있게 되자, 필드에 나가면 골프채의 국제 전시장 같은 느낌을 준다.

이러한 골프채의 상당 부분은 점차 샤프트의 길이가 길어지고 헤드의 크기가 커지면서 경량화되는 경향이 있어, 그만큼 컨트롤이 쉬워지고 확실히 거리가 늘어나 옛날 것에 비하면 멀리 나가는 이점이 있다.

그러다 보니 사람들은 너도나도 긴 채를 원하고 또 채를 길게 잡아 될수록 멀리 날리려는 욕망에 사로잡히게 되었다.

긴 채를 길게 잡고 치면 공이 멀리 나간다는 것은 틀린 말은 아니다. 그러나 볼은 방향과 거리가 조화될 때만 본

령을 발휘하는 것으로 방향이 엉뚱하게 나가 혹이나 슬라이스가 난다든지, 벙커나 러프에 **빠져** 다음 타에 지장을 준다면 정확히 친 단타만도 못한 경우가 있다.

그럼에도 불구하고 오너(honor) 플레이어에게 뒤질세라 클럽을 길게 잡고 계속 100m를 날리는 레이디 골퍼가 많은가 하면, 모처럼 한번 잘 맞은 장타에 현혹되어 계속 오른쪽 러프에 슬라이스를 날려 공을 찾고 다니는 젊은이가 얼마나 많은가.

클럽은 길게 잡을수록 컨트롤이 어려워지고, 이는 특히 힘이 약한 여성이나 나이 많은 노년층일수록 더욱 그렇다. 더구나 상대적으로 키가 작은 사람이 긴 클럽을 길게 잡고 스윙을 하려면 각별한 훈련과 노력이 필요하다. 비어도크 뿐만 아니라 장타를 날리려고 힘을 세게 주면 줄수록 자기도 모르는 사이에 그립이 흐트러져 방향은 빗나가고 거리는 줄어드는 경우가 많다.

이런 결점을 보강하고 스무드한 샷을 날리려면 클럽은 반드시 길게만 잡는 것이 상책이 아님을 깨달아야 한다. 실제로 연습장에서 길게 잡고 쳐 보고 1~2인치 짧게 잡고 쳐 보면 반드시 길게 잡고 친 볼이 더 나간다는 보장이 없을 뿐 아니라, 짧게 잡고 친 볼이 바르게 더 잘 나가는 경우가 많음을 알게 될 것이다.

또한 클럽마다 사람에 따라서는 일정한 제한 거리가 있기 때문에, 가령 8번을 최대한 치는 것보다는 7번으로 가볍게 힘을 **빼고** 치는 것이 필요한 경우가 많다.

그렇기 때문에 모든 채는 연습할 때 길게 잡고 쳐 보

4. 앨버트로스의 꿈   75

기도 하고 짧게 잡고 쳐 보기도 하여 쿼터 스윙(quarter swing), 하프 스윙(half swing), 풀 스윙(full swing)을 각각 시도하여 각 클럽의 거리와 정확도를 미리 알아두는 것이 실전에서 훨씬 유리하다.

더구나 게임이 진행됨에 따라 무더운 여름, 비가 온 직후, 바람이 세차게 불 때, 그리고 추운 겨울날 등에는 몸이 움츠러들거나 힘이 빠져 사실상 제 힘을 발휘하지 못하는 경우가 많다. 이러한 때에는 될 수 있는 대로 짧게 잡고 컨트롤을 쉽게 하여 플레이하는 것이 보다 좋은 결과를 가져온다.

특히 100m 이내의 쇼트 게임의 경우 여러 가지 지형과 잔디 결을 고려할 때 그립을 어떻게 잡느냐에 따라서 결과가 크게 달라지고 이것이 바로 스코어와 직결되기 때문에 짧게 잡고 치는 연습이 절실하다 할 것이다.

골프는 유행을 너무 타다 보면 자신의 타법과는 무관하게 남의 것만 좋게 보여 자기 고유의 기법 개발을 소홀하게 된다. 긴 클럽, 긴 그립도 그에 해당한다. 자신에게 맞는 클럽과 때로는 그립을 짧게 잡고 치면 의외로 좋은 결과가 나올 수 있다.

시험삼아 연습을 해 보자.

5. 만유인력과 스윙 플레인 이론

      사과가 나무에서 떨어지는 것을 보고 뉴톤이 발견했다는 우주의 만유인력의 법칙. 즉 우주에 있는 모든 물체는 상호 흡인력을 갖고 있어 거리와 질량에 따라 만유인력의 법칙이 작용하여 골프에도 이 법칙이 적용된다고 생각하니 깊은 오묘함을 느끼게 된다.

      골프공이 사과와 같이 질량을 갖고 있으니 지구 중심에서 끌어당기는 이 거대한 만유인력을 견딜 수가 있겠는가. 그래서 우리 사람이 아무리 골프공을 세게 친다해도 기껏 300야드 안팎에서 떨어지게 되니, 이 법칙을 모르고 400야드 이상을 치려는 사람은 별로 없다고 봐야 할 것이다. 그저 야외로 놀러 나온 줄 알고 그 동안 골프를 열심히 쳤건만 우리는 그저 하느님의 손바닥 안에서 놀고 있는 것이 아닐까? 만유인력과 골프공? 우리는 골프를 치면서 이 만유인력을 생각해 보는 것도 하나의 재미가 아닐까?

A. 골프의 기본자세와 스윙동작

골프의 기본동작은 스윙(swing)에 있다고 본다. 사지(四肢)를 고정하고 골프채를 잡고 볼을 원하는 거리에 치기 위해서는 무엇보다도 기본자세를 취하고 공을 치는 동작 즉 스윙(swing)에 들어가서 볼을 목표하는 방향으로 치는 것이 뭣보다도 중요하다고 말할 수 있다.

그러나 사람의 몸은 태어날 때부터 각기 다르고 또 자라나는 과정에 여러 가지 일을 하기 때문에 각기 달라서 스윙동작에 들어감에 있어서도 각기 다르다고 할 수 있다. 간단히 예를 들면 오른 손잡이가 연필을 깎을 때 오른 손으로 깎으면 수월하게 연필을 깎을 수 있지만, 왼손으로 깎으면 쉽게 깎기 어려운 것은 자라오면서 오른 손을 주로 써왔기 때문이다.

그러나 왼손잡이는 오히려 오른 손으로 연필을 깎으려하면 쉽지 않듯이, 우리는 자라오는 과정에 어떻게 자라왔느냐에 따라 달라지는 것과 마찬가지로 누구이든 그의 자라나는 과장에 일정한 습관이 붙어 이것이 골프수윙을 하는데 있어서도 각기 달라 그 결과를 쉽게 예측할 수 없는 것이 보통이다.

스윙동작을 어떻게 하느냐에 따라 천태만별의 결과가 나오기 때문에 이를 극복하는데 에는 끊임없는 수윙동작을 익혀나가지 않으면 안 된다. 그러한 의미에서 본다면 골프의 기술은 될수록 어릴 때부터 배워 그 습관을 익혀나가기 위하여 끊임없는 연습을 되풀이 하지 않으면 안 된다고 말 할 수 있다. 나이를 먹어갈수록 사람은 일정한 습관이 붙고 또 사지와 체형이 고정화되어 이를 고치기가 쉽지 않을 뿐 더러 점점 더 어려워져 가는 것이 상식이다.

그러나 2차 대전 이후 골프가 세계 각지로 번지면서도 골프는 일종의 상류층의 신사게임이라 하여 사회적 지위가 확보되고 어느 정도 여유가 있는 사람이 아니면 치기 어려웠기 때문에 골프의 진보에는 큰 변화가 없었다.

그러나 전후 각국이 경제적 복구가 이뤄지고 여유가 생길뿐 아니라 골프의 중심지가 유럽에서 미국 대륙으로 옮겨가면서 일대 지각변동이 일어났다고 할 수 있다.

특히 백인들의 노름이라고 자랑하면서 흑인을 멸시하던 골프가 20세기 말경에 들어서자 모든 인종 특히 흑인에게도 개방되면서 골프는 비약적으로 발전하였다.

이러한 방향으로 노력을 해온 일부 흑인의 선각자가 있었지만 20세기말 무렵 일찍부터 이 방면에 뜻을 두고 아버지의 훈도와 지도에 따라 성장해온 '타이거 우즈'(Tiger Woods)의 출현과 그의 성적이 거의 획기적으로 골프의 세계를 바꿔 논 것이 거의 결정적으로 작용했다고 보는 것이 정도일 것이다.

일개 개인의 힘이 이렇게 클 줄은 당초에는 모두가 잘 몰랐을 것이다. 그러나 타이거 우즈가 어릴 때부터 이 방향에 재능을 발휘하는 것을 누구보다도 일찍 발견하고 이를 후원한 아버지의 힘이 절대적으로 컸을 뿐더러, 거기에 이를 뒷받침한 나이키의 후원도 또한 컸다고 할 수 있다.

1997년 이후 골프세계를 뒤바꿔 놓은 타이거 우즈의 업적은 이후 2010년까지 그칠 줄 몰랐으며, 골프대회의 규모는 천정부지로 올라가고 덩달아 상금규모도 대대적으로 올라가 이제는 이를 모르는 사람이 없다고 하여도 과언이 아니다.

그가 그 후 아버지가 돌아가고 불륜관계에 휘말려 일시 쉬고 있는 사이에도 그에 대한 열망은 그칠 줄을 몰랐다.

이제 현대골프는 기본부터 달라지고 있다고 하여도 과언이 아니다. 종래의 고리타분한 신사적 게임에서 일약 세계적으로 대중적 운동으로 발돋움함에 따라, 골프를 사랑하는 대중은 폭증적으로 늘어나고 이들을 수용할 골프장이 세계 각지에 들어서게 되었던 것이다.

B.   임팩트의 순간과
스윙 플레인 이론

어드레스와 스윙은 결국 클럽 헤드가 볼에 맞는 순간을 정확히 하기 위한 기초 동작이다. 그러나 아무리 힘이 약한 여자의 스윙이라 해도, 임팩트(impact)의 순간을 눈으로 보고 확인하기는 어렵고 맞는 볼의 방향과 거리를 보고 판단할 수밖에 없기 때문에, 우리는 수많은 연습과 이론에 입각하여 좋은 임팩트를 만들려고 하루에도 볼을 몇 박스씩 치는 것이 아닌가.

좋은 스윙이 좋은 임팩트를 낳는 것은 물론이지만, 어떤 때엔 자기도 모르는 사이에 볼이 땅으로 뒹굴고 또는 공중 볼이 되며, 때로는 훅과 슬라이스를 거듭하여 난감할 때가 많다. 아무리 달인이라 해도 새벽녘에 몸이 안 풀리거나 오후에 피로하면, 볼이 엉뚱한 데로 날아가 잘못 맞곤 하는 것을 경험했을 것이다.

따라서 이러한 미스 샷(miss shot)을 없애고 볼을 똑바로 치기 위한 스윙 이론이 끊임없이 개발되어 발전해 왔으며, 그 중 유명한 것이 스윙 플레인(swing plane) 이론이다.

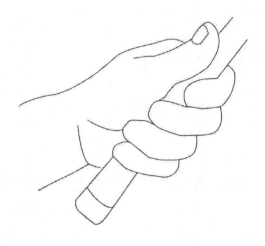

스윙 플레인이란 간단히 말하면 백 스윙(back swing)과 다운 스윙(down swing) 그리고 임팩트를 지난 후의 팔로우 스루(follow-through) 및 피니쉬(finish)를 통하여 일관되게 클럽 헤드(club head)를, 같은 가상평면(假想平面)을 달리게 한다는 것이다.

그렇게 해야만 등뼈를 중심으로 한 클럽 헤드의 원 운동(圓運動)을 일정하게 함으로써, 클럽 헤드가 목표를 향하여 볼을 똑바로 맞힐 수 있다는 것이다.

그러나 이러한 정확한 스윙과는 달리 현실적으로 볼을 맞히는 순간에는, 클럽 헤드를 기준으로 할 때,

인사이드 아웃(inside-to-out),

아웃사이드 인(outside-to-in)

인사이드 인(inside-to-in)

세 가지 방향을 가정할 수 있으며, 각각 훅성 볼, 슬라이스성

볼, 그리고 강한 직구볼을 날리게 된다.

볼의 형태상 둥근 공의 맞는 부분은 분명 한쪽의 한 점일 것이다. 그러나 한 점이라 하더라도 맞는 부분은 우측 한 중앙만이 아니고 로프트의 각도에 따라 위 아래 여러 점이 될 수 있어, 그 결과에 따라서 볼은 방향이 달라질 수밖에 없다.

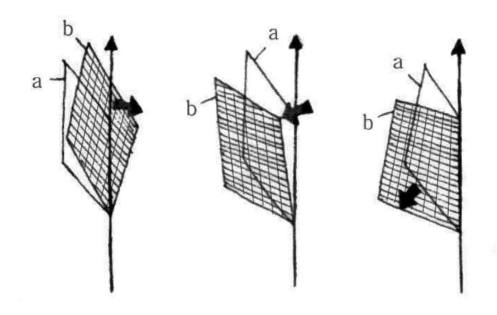

스윙의 원운동을 전제로 하고 볼이 둥근 구형임을 감안할 때 임팩트의 순간은 분명히 한 순간에 불과하나 이 한 순간의 작용에 의하여 결과가 나타나니, 이는 평생 연습한 골프 스윙의 종착점이라고도 할 수 있다.

스윙 플레인이란 간단히 말하면 백 스윙(back swing)과 다운 스윙(down swing) 그리고 임팩트를 지난 후의 팔로우 스루(follow-through) 및 피니쉬(finish)를 통하여 일관되게 클럽 헤드(club head)를, 같은 가상평면(假想平面)을 달리게 한다는 것이다.

그렇게 해야만 등뼈를 중심으로 한 클럽 헤드의 원운동(圓運動)을 일정하게 함으로써, 클럽 헤드가 목표를 향하여 볼을 똑바로 맞힐 수 있다는 것이다.

그러나 이러한 정확한 스윙과는 달리 현실적으로 볼을 맞히는 순간에는, 클럽 헤드를 기준으로 할 때 상술한 바와 같이 세 가지 방향을 가정할 수 있으며, 각각 훅성 볼, 슬라이스성 볼, 그리고 강한 직구볼을 날리게 된다.

볼의 형태상 둥근 공의 맞는 부분은 분명 한쪽의 한 점일 것이다. 그러나 한 점이라 하더라도 맞는 부분은 우측 한 중앙만이 아니고 로프트의 각도에 따라 위아래 여러 점이 될 수 있어, 그 결과에 따라서 볼은 방향이 달라질 수밖에 없다.

스윙의 원운동을 전제로 하고 볼이 둥근 구형(球形)임을 감안할 때 임팩트의 순간은 분명히 한 순간에 불과하나 이 한 순간의 작용에 의하여 결과가 나타나니, 이는 평생 연습한 골프 스윙의 종착점이라고도 할 수 있다.

이해를 돕기 위하여 당구 칠 때의 예를 들어 보면, 우리는 볼의 중앙 한 점을 치는 경우도 있지만 윗부분과 아랫부분 또는 좌우 어느 한 부분의 한 점을 맞혀, 당구 볼의 무궁무진한 조화를 연출한다.

볼과 큐의 크기 차이는 있다 해도, 볼의 운동은 작용하는 힘의 강도와 방향에 따라 크게 달라진다고 할 수 있다. 따라서 볼에 가해지는 힘을 조절하기 위하여 14개의 클럽을 만들었고, 각각 로프트(loft)를 달리하여 맞는 부위를 기술적으로 조절하고 있으니, 14개의 무기를 갖고 그때그때 적절히 활용함으로써 소기의 성과를 올릴 수 있는 것이 골프라고 할 수 있다.

그러나 맞는 시점을 한 순간으로 보는 사람이 있는가 하면 적어도 0점 몇몇 초의 연속 시간으로 보는 사람도 있다. 그것은 클럽이 맞아서 볼이 튀어 나오는 순간까지의 연속적 동작의 개념으로 보아, 그것을 점의 시간이 아니고 적어도 극소량의 연속 시간으로 보는 것이다.

볼이 쇳덩어리로 만든 게 아니고 부드러운 고무질로 형성된 점과 볼의 종류에 경도를 나타내어 차이를 두고 있는 것은, 이를 반영한 것이라고 할 수 있다. 테니스공이 소프트볼과 하드볼이 있듯이 골프공도 소프트, 하드의 구분이 있다고 할까?

대부분의 아마추어는 볼의 경도를 가릴 여유가 없을 뿐만 아니라, 친선골프 대회에서 우승 또는 참가 상으로 받은 볼이나 친구가 사준 볼을 무조건 쓰는 경우가 많다.

그러나 경기에 나갈 때는, 그래도 마음에 맞는 볼을 골라 치면 혹시 스코어가 좋지 않을까? 적어도 임팩트의 순간이 미소하나마 연속적 동작이라면, 자기에게 맞는 경도의 볼을 쳐야 하고 스윙의 궤도도 일정하게 하여 볼의 방향을 안정시키는 것이 필요하다.

C. 골프그립과 스윙 동작

골프스윙의 종류는 여러 가지가 있지만 골프채를 들고 스윙을 하기 위해서는 먼저 골프채를 어떻게 잡느냐하는 것 즉 그립이 제일 중요하다.

그러나 골프채는 드라이버에서부터 퍼터까지 여러 가지가 있고 이를 길게 치느냐 짧게 치느냐에 따라 그립이 달라질 수 있으며, 나아가서는 볼의 방향을 어느 쪽으로 보고 치느냐에 따라 각기 다를 수 있기 때문에 처음에는 일정한 교습자에게 교습을 받는 것이 유리합니다.

단순히 그림만 보거나 남이 치는 것을 보고 그대로 친다고 하는 것은 시행착오가 너무 많이 걸려 오히려 시간과 돈만 허비하는 경우가 많습니다. 대개는 같이 간 친구에게 먼저 배우고 좀 더 전문적이 되며는 교습장에서 전문가에게 배우게 되는데, 타이거 같은 세계 일류선수도 전문적 교습가에게서 끊임없이 교습을 받아가면서 볼을 쳤다는 것은 우리가 꼭 알아두어야 할 일입니다. 가장 편한 자세로 골프채를 잡고 편안한 마음으로 공을 친다는 것은 상식이지만, 사람에 따라서 여러 가지 그립이 있으며, 요사이는 족집게 그립을 보통 잡는 것이 좋다고들 합니다.

D. 골프 스윙의 연습

골프의 기본은 스윙입니다. 골프채를 들고 골프공을 맞히어 원하는 방향으로, 그리고 원하는 거리로 치는 골프스윙은 연습 없이는 잘 칠 수 없는 운동입니다.

이 스윙은 사람에 따라서 각기 다르며, 같은 사람이라도 아침과 저녁, 여름과 겨울 그리고 장소에 따라서 천차만별의 수익이 나오며, 그 결과가 다르게 나타납니다.

우리가 공원에 나가서 공원 한 쪽에 자리 잡고 걸어가는 사람의 걸음걸이를 보면, 키가 큰 사람과 작은 사람, 뚱뚱한 사람과 호리호리한 사람, 그리고 어른과 아이, 남자와 여자를 보면 천차만별의 걸음걸이를 볼 수 있습니다.

말하자면 일반사람의 걸음걸이가 이와 같이 다르게 나오는 것은 각자 자라오면서 몸에 붙은 버릇이 되어 각기 다른 보행을 하게 된데 있는 것입니다. 하물며 골프채를 들고 이제 배우기 시작하는 초보자들도 마찬가지로 스윙이 각기 다르다는 것은 당연한 이치이며, 이는 역으로 끊임없이 골프스윙을 계속적으로 연습하지 않고는 목표지점에 공을 갖다 놓을 수 없음을 의미합니다.

이제 골프가 대중화되어 모든 사람이 골프를 칠 수 있게 되었고, 각기 다른 사람이 한 조가 되어 골프를 치면 천차만별의 결과가 나와 본의 아니게 실수를 하는 경우가 많이 생깁니다.

이것은 역으로 말하면 골프는 끊임없이 연습을 하여 어느 정도 자신을 가지고 치지 않으면 안 되며, 하물며 골프선수로 나아가려는 사람은 누구보다도 더 많이 연습을 하여 우승을 겨누지 않으면 안 되는 것을 의미하며, 그 길은 험난하다고 하지 않을 수 없습니다.

그런 의미에서 골프는 연습을 끊임없이 계속하여 누구보다도 더 잘 쳐야 우승을 할 수 있고 나아가 상금을 더 받을 수 있다고 봅니다.

이런 사실은 골프선수에게만 적용되는 것이 아니라 일반 골퍼 즉 아마추어 골퍼이거나 사교골퍼에게도 적용되는 일이라고 할 수 있습니다. 그런 점에 골프인구가 늘자 수 없는 골프연습장이 늘고, 다종다양한 연습장이 생기어 골프를 치려는 수많은 사람들이 이곳에 드나들고 있는 것입니다.

따라서 연습 없이 골프를 치려는 생각은 마시고, 골프를 치려고 마음먹었다면 틈만 나면 연습장으로 달려가서 자주 연습하는 것이 골퍼의 첫째 의무입니다. 천하의 골프천재 타이거도 집에 넓은 공간을 이용하여 골프연습장을 갖고 있으며, 틈나는 대로 골프연습을 하고, 나아가 어린 아이 찰스도 바로 집에서 언제든지 그 동안 연습을 할 수 있기 때문에 그 어린 나이에 뛰어난 성적을 올리고 있는 것입니다.

그런 의미에서 골프는 연습부터 시작하여야 하며 연습하지 않는 골프는 그 기술이 늘지 않는 것입니다. 자, 집 옆에 있는 골프연습장부터 찾아볼까요.

E. 어퍼 블로우와 다운 블로우

PGA 투어 프로의 아이언 샷을 보면, 주먹만한 흙덩이를 날리면서 볼을 치는 광경이 TV에서 눈에 띈다. 그들의 아이언 샷은 거의 전부가, 클럽 헤드가 최저점을 지나기 전에 볼을 맞추는 다운 블로우(down blow)를 구사하기 때문에 이와 같은 힘 있는 샷이 나오지만, 티샷 시에도 다운 블로우 샷이냐 어퍼 블로우(upper blow) 샷이냐 하는 데에는 의견이 갈려 있다.

일반적으로 교습서에서도 드라이버 샷은 볼을 왼발 쪽에 놓고 치라고 되어 있기 때문에 클럽 헤드가 최저점을 지난 다음에 맞는 것이 아닌가 하는 의문이 생겨, 사람에 따라서 드라이버를 쥐고 어퍼 블로우 샷을 하는 사람이 있다.

이때 문제가 되는 것은 일반적으로 어드레스의 경우에는 그립을 Y자형 또는 역 K자형으로 쥐고 V자 방향은 오른쪽 어깨를 겨냥하라고 하기 때문에, 오른쪽 손바닥이 점차 클럽 밑으로 빠지면서 하늘을 보게 되어, 왼쪽 목표 방향으로 직각이 되어야 하는 기본자세에서 자꾸 벗어나게 되는 것이다.

그렇게 되면 스윙의 궤도가 인사이드-투-아웃(inside-to-out) 또는 그렇지 않으면 인사이드-투-인(inside-to-in) 방향이 되기 어렵고 아웃사이드 인(outside-to-in)이 되기 때문에, 슬라이스를 고치려다 더 슬라이스를 치는 버릇이 생기는 것이 초보자의 결함이다.

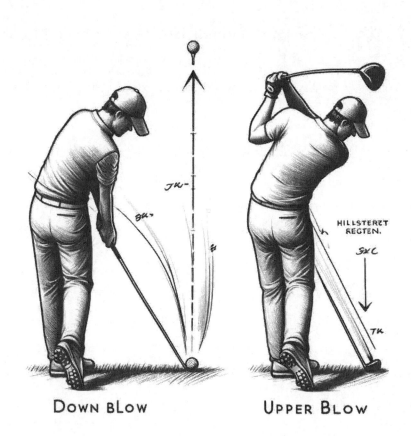

DOWN BLOW   UPPER BLOW

5. 만유인력과 스윙 플레인 이론

그립은 원래 왼손 중지, 약지, 새끼손가락으로 잡고 오른손은 그 위에 가볍게 얹는 식의 소프트 그립을 하는 것이 원칙이지만 오른손 바닥이 자꾸만 클럽 밑으로 내려가면서 힘을 주어 잡게 되니, 방향도 틀리고 거리도 안 나가는 것이 중년 이후에 시작하는 남성 골퍼의 폐단이다.

더구나 이러한 그립은 아이언 샷에는 치명적 결함이 되어 스코어를 줄이려 해도 쉽게 안 되고 러프 또는 벙커에 빠져 허덕이게 된다. 뿐만 아니라 이러한 그립은 백스윙 때도 오른쪽 겨드랑이가 벌어져, 스윙의 방향이 흐트러지고 볼의 방향도 불안정하여 마음 놓고 볼을 칠 수 없기 때문에, 거리도 생각보다 작게 나간다.

경험적으로 이런 폐단을 막으려면 우리가 어릴 적 강가에 서서 힘껏 돌을 던질 때를 회상할 필요가 있다. 이때 우리는 팔꿈치를 겨드랑이에서 크게 벌리지 않으면서 뒤로 뺏다가 던지면 돌이 멀리 나간 것을 기억할 것이다.

백스윙 때 왼손을 뻗치면서 오른손을 돌팔매질할 때의 폼을 생각하면서 뒤로 돌리는 것이, 부드러운 스윙을 할 수 있는 첩경이라고 본다. 볼의 방향이 똑바로 나가게만 되면 안심하고 장타를 날릴 수 있기 때문이다. 이때는 거리도 나고 또 마음대로 목표 지점을 고를 수도 있어 전략적 사고를 할 수 있게 되며 스코어를 크게 줄일 수 있는 것이다.

그 다음엔 어퍼 블로우냐 다운 블로우냐를 가릴 것 없이 샷만 하면 되는 것이다. 그래서 연습장에서 연습할 때는 가장 잘 맞는 위치에 볼을 놓고, 리듬과 템포를 맞춰 몸의 균형을 잡는 일에 더 신경을 써야 한다.

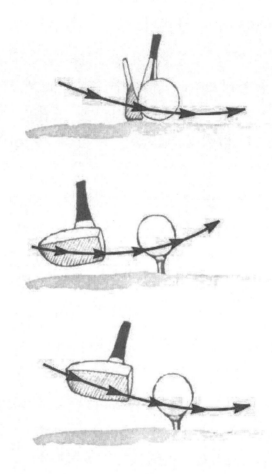

5. 만유인력과 스윙 플레인 이론

6. 마키아벨리의 지혜

사람은 끊임없이 싸움을 되풀이한다. 싸움은 이겨야 되는 법. 그래서 온갖 술수와 비법이 나오고 새로운 무기가 나오면서 전쟁을 승리로 이끌어 간다. 사람의 지혜도 더불어 발전하고 새로운 문명도 이에서 출발한다. 그래서 전쟁에서 이기기 위한 이론이 일찍이 발달하여 동양엔 손자, 서양엔 마키아벨리가 있었다.

골프도 이겨야 되는 게임. 그래서 머리를 짜내서 게임을 이기기 위한 갖가지 지혜가 동원된다. 티잉 구역에 서서 전방의 지형을 살피고, 쳐들어가야 할 길을 택하고, 클럽을 움켜쥔다. 때로는 똑바로, 때로는 좌로, 때로는 우로 단단히 클럽을 쥐고 볼을 앞세워 미지의 길을 달린다.

A. 티잉 구역에 서서

한국 골프장의 특징 가운데 하나는, 티잉 구역(teeing area)에 고무 매트나 인공 잔디를 별도로 깔아 놓고 그곳에서 티 샷을 강요하고 있다는 것이다.

춘하추동 계절 변화에 따른 잔디 관리의 어려움 때문에 잔디 보호의 명분으로 아예 줄을 쳐놓고 티잉구역 잔디에는 들어가지도 못하게 하고 매트 위에서나 치라고 하니, 아마추어 골퍼가 비단 같은 잔디 위에서 티샷 하는 것은 꿈에서나 꿈꾸어 볼까?

일 년에 한 번 열릴까 말까 하는 클럽 챔피언 대회나 국제 대회 때를 제외하고는 아예 발걸음을 끊을 수밖에 없는 잔디는 솔직히 말해서 골프의 흥미를 반감하고도 남는다.

아마추어 골퍼가 매트 위에 올라서서 어드레스 자세를 취하려 하면 고무줄 사이에 스파이크가 끼여들어가 제대로 스탠스를 잡을 수도 없으려니와, 매트는 으레 한쪽 방향으로 비틀어져 있어서 그렇지 않아도 방향을 잡기 어려운 애버리지 골퍼에게 미스 샷 요인 하나를 더 추가해 준다.

뿐만 아니라 평평해야 할 그라운드가 대개 앞부분이 내려 앉아 있어서 그렇지 않아도 볼이 뜨지 않는 골퍼에겐 첫 홀부터 땅볼 샷의 실수를 일으키게 한다.

매트의 방향과는 관계없이 페어웨이의 목표 지점을

겨냥하고 어드레스 한다 해도 사람의 시각적 착시 현상은 어쩔 수 없어서 스윙하는 순간 클럽을 당기거나 푸시하여 볼이 빗나가는 경우가 많아, 정말 제1타부터 당황하게 하는 것이 한국 골프장의 티잉 에어리어 상황이다.

외국에 가면 물론 이런 일은 없다. 수시로 티 마커(tee-marker)를 옮겨가면서 잔디 관리를 해서 푸른 잔디 위에서의 티 샷을 허용함으로써 골퍼에게 신선미를 주고 멋진 샷의 진미를 맛보게 한다. 문제는 한국형 매트 위에서의 티 샷을 현실적으로 어떻게 극복해 나가느냐 하는 데 있다.

티 샷은 자세가 나쁠 때는 절대로 과욕을 부리면 안 된다. 티 샷이 잘 맞으면 멀리 페어웨이 목표 지점에 볼이 떨어지지만, 잘못 맞았을 때의 빗나감은 어느 샷보다도 심하다.

즉 애버리지 골퍼 대부분의 고질병인 슬라이스가 더 난다든지 상급 골퍼의 경우엔 훅이 심하게 나서, 다음 샷 하기가 아주 어려운 위치에 볼이 떨어지는 경우가 많다.

이러한 실수를 방지하기 위해서는 일차적으로 주어진 티잉구역 안에서 최대한으로 스윙하기에 적합한 평평한 곳을 골라 셋업(set-up)하지 않으면 안 된다.

막연히 앞 사람이 친 자리에서 그대로 치거나 방향을 제대로 잡지 않고 어드레스 하는 것은 미스 샷을 유발하는 계기가 된다. 매트 위에서도 가장 좋은 지점을 골라 과욕을 부리지 말고 절제된 스윙으로 샷하는 것이 미스 샷을 방지하는 첩경이다.

B. 셋업의 중요성

골프를 잘 친다는 사람도 낯선 골프장에 가서 처음으로 라운딩 할 때는, 때때로 비틀어진 티잉 구역 방향에 현혹되어 슬라이스를 쳐서 산 속으로 볼을 치게 되는 경우가 많다.

한국과 같이 티잉 구역에 고무 매트를 깔아 놓고 그 속에 티 마커를 꽂아 놓았을 때, 티 매트가 놓여 있는 방향과 실제 플레이어가 쳐야 될 방향과는 정확히 맞지 않는 경우가 많으며, 매트를 깔지 않은 경우라도 관악CC의 서쪽 코스 제1번 홀같이 오른쪽을 향하고 있는 티잉 구역이 더러 있다.

이런 곳에서는 그것을 인식하고 두 발을 셋업(set-up)하여 어드레스 자세를 취한다 하더라도 목표 지점을 확정할 수가 없어, 볼은 오른쪽 러프 쪽으로 날아가 오버가 되어 OB지역에 떨어지는 경우가 많은 것이다. 특히 90대 이상을 치는 하이 핸디캐퍼는 대개 유혹에 빠져, 처음부터 엉뚱한 실수를 범하여 기분을 잡치고 스코어에 큰 영향을 받게 된다.

드라이버가 똑바로 나가지 않고 볼의 낙하지점을 확실히 의식하지 않고 치는 대부분의 플레이어가 이런 실수를 하는데, 우리는 이런 실수를 범하지 않기 위해서는 그라운드 위에 올라설 때 간단히 생각하기 쉬운 셋업 자세에 특별히 신경을 쓰지 않으면 안 된다.

프로들은 이런 경우 티잉 구역 후방에 서서 목표 방

향을 정하는 것이 보통이다. 먼 곳에 있는 큰 소나무나 또는 벙커의 왼쪽 또는 아파트의 터렛(turret) 등 바로 눈에 띄는 목표물을 찍어 놓고 두 발을 셋업 하여 어드레스 자세에 들어간다.

이 경우도 간단하지 않은 것이, 그라운드 평면이 한쪽 부분이 높아 기울어 있거나, 앞쪽 부분이 뒷부분보다 상대적으로 낮아 볼이 잘 뜨지 않는 경우도 있고, 앞 사람이 친 뒤의 자국 때문에 두 발을 땅에 딛고 어드레스 하는 자세가 불안정할 때가 있다.

따라서 두 개의 티 마커 선상에서 뒤로 두 클럽 길이 안의 임의장소에서 티 샷을 허락하고 있는 골프 규칙 제11조에 따라 상당히 넓은 범위 안에서 티 샷을 허락하고 있건만, 대개는 앞 사람이 친 자리에서 뒤따라 치는 경우가 많다.

그러나 대개의 티 샷은 제2타를 치기 좋은 곳으로 날려야 하기 때문에, 단순히 멀리 날렸다는 것만으로 미소 짓지 말고 자기가 마음먹은 곳으로 쳤는지의 여부를 확인할 필요가 있다.

아마추어 골퍼가 초기엔 슬라이스 볼을 치고 점차 훅 볼을 거쳐 똑바로 치게 된다고 하지만, 원래 볼은 일직선으로 가다 떨어지는 순간 좌우 어느 한쪽으로 기우는 것이 통례이다. 때문에 사람에 따라서는 페이드 볼(fade ball)은 오른쪽 마커 쪽에서, 드로 볼(draw ball)은 왼쪽 마커 쪽에서 치는 것을 권하기도 한다.

그렇게 하면 페어웨이 한가운데를 겨냥하는 것보다 훨씬 넓은 목표 공간을 활용할 수 있어 미스 샷을 방지하는 효과가 있다.

이와 같이 여러 사정을 고려할 때, 티잉 구역은 플레이어에게 광범한 선택권을 부여하여 가장 좋은 자리에서 가장 좋은 셋업을 하여 어드레스 할 수 있는 기회를 주고 있다 할 것이다. 모름지기 그 권리를 행사할 필요가 있다.

C. 그립으로 세계를 제패한다

클럽을 감싸 쥐는 그립. 온몸의 운동이 클럽에 전달되는 이음쇠 역할을 하는 그립의 중요성에 대해서는 골프 기술서에도 자세히 기술되어 있지만, 연습 때나 실전에서 그립만큼 소홀히 취급되는 것도 없다.

스윙 폼이나 몸놀림 등은 스트로크시 눈에 띄기 때문에 인스트럭터나 옆 사람이 한 마디씩 할 수 있지만, 그립은 순간적 동작에서 가려지기 때문에 그대로 넘어가는 경우가 많다.

그러나 아무리 힘이 세고 몸 동작이 좋아도 그립 여하에 따라 결과가 달라지기 때문에, 상급자로 갈수록 그립을 조정하여 볼을 원하는 방향으로 날리는 기술을 습득하게 되는 것이다.

묘하게도 사람에 따라서는 양손의 길이가 똑같은 것이 아니라, 어떤 사람은 왼손 또는 오른손이 상대적으로 긴 사람을 볼 수 있다.

따라서 일반적으로 널리 유행되고 있는 오버래핑 그립(overlapping grip), 즉 바든 그립(vardon grip)보다도 텐 핑거 그립(ten finger grip), 즉 베이스볼 그립(baseball grip)을 취해야만 하는 사람이 있는가 하면, 인터록킹 그립(interlocking grip)으로 힘을 보충하는 사람도 있다.

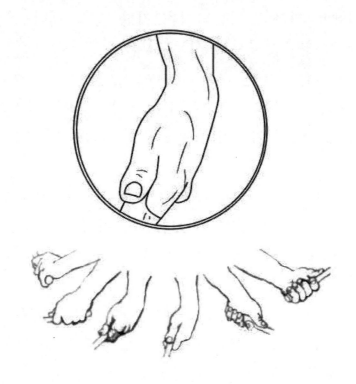

6. 마키아벨리의 지혜

또 처음 골프를 시작하는 젊은 사람이 주로 슬라이스가 나면 원인을 정확히 몰라 팜 그립(palm grip)에서 핑거 그립(finger grip)으로 바꿔 보기도 하고, 스퀘어 그립(square grip)에서 스트롱 그립(strong grip)으로 바꿔 보지만 슬라이스는 교정되지 않고 더욱 심해지는 경우도 있다. 자기 체격에 맞는 그립을 택하여 편하게 쥐는 것이 중요하기 때문에 반드시 오버래핑을 강요할 수는 없고, 또는 오버래핑을 한다 해도 슬라이스, 혹 그리고 거리가 다 해결되는 것은 아니다.

문제는 그립이란 몸의 스윙 동작을 그대로 클럽에 반영시키는 이음쇠 같은 역할을 하기 때문에 스윙 동작의 정확성과 균형이 보장되어야 한다. 그러나 올바른 그립 없이는 스윙 동작의 균형이 보장되지 않는다. 스윙과 그립의 관계는 상호 보완성이 있는 것이다.

일반적으로 아마추어 골퍼가 슬라이스를 교정하기 위하여 스트롱 그립으로 바꿔 나갈 때, 오른쪽 엄지와 집게손가락이 오른쪽 어깨를 가리켜야 한다는 교습(V형 그립)을 너무 의식한 나머지, 오른손이 점점 아래쪽으로 꺾여 극단적인 경우는 손바닥이 하늘을 보는 경우가 적지 않게 발견된다.

그러한 경우는 아무리 좋은 스윙을 하고 싶어도 좋은 스윙이 되지 않을 뿐만 아니라, 아예 폼으로 굳어지면 나중엔 교정이 아주 어려워진다. 그리고 상급자가 되고 핸디가 내려가면 점차 인텐셔널 훅(intentional hook)이나 인텐셔널 슬라이스(intentional slice)를 구사할 줄 알고 드로 볼(draw ball)이나 페이드 볼(fade ball)을 자유롭게 구사할 줄 알아야 하는데 그

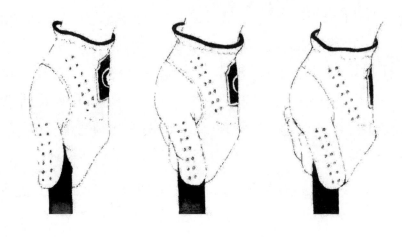

러한 그립으로는 거의 불가능하다.

　따라서 아마추어 골퍼가 몇 번의 시행착오를 거치면서 스퀘어 그립으로 돌아오게 되는데, 사실 연습장에서는 스트롱 그립(strong grip)과 위크 그립(weak grip)을 번갈아 가면서 연습을 해야만 마음 놓고 스퀘어 그립도 취할 수 있게 된다.

　또 실전에서는 반드시 평평한 지면이 아닌 슬로프에서의 샷, 티 샷뿐만 아니라 페어웨이에서의 우드 또는 아이언 샷 등 갖가지 샷을 전제로 할 때, 한 가지만의 그립 폼을 강요하는 것은 때로는 무리라고 할 수 있다. 온 그린을 목표로 하는 어프로치 샷과 벙커 샷 그리고 러프 샷 등 갖가지 상황에 대처해야 되는 경우에 단일 그립으로만 처리하는 것은 무리다.

따라서 여러 가지 그립을 시도함으로써 자기에게 맞는 그립을 찾고, 그 그립으로 클럽을 컨트롤하여 좋은 스코어를 낼 수 있도록 끊임없이 점검, 교정해 나가야 할 것이다.

어느 챔피언이 메이저 제패의 비결을 물었을 때 왼쪽 엄지손가락을 가리키면서 이것으로 페이드와 드로 볼을 자유롭게 구사하여 득을 보았다고 말한 것은 그립이 얼마나 중요한가를 단적으로 나타내고 있다.

그는 그립으로 세계를 제패(制覇)한 것이다.

D. 높은 티 낮은 티

티 샷 할 때 티를 유난히 높게 꽂고 치는 사람이 있는가 하면, 반대로 낮게 꽂고 치는 사람도 있다. 초기엔 잘 모르지만 점차 해를 거듭할수록 티의 높이에 관심을 가져, 높게 꽂기도 하고 낮게 꽂기도 하여 변화를 부리게 된다.

물론 교과서대로 드라이버의 스위트 스포트(sweet spot)에 저스트 미트(just meet)할 수 있도록 클럽 헤드의 중간에 볼이 오도록 티를 꽂는 것을 권하는 원론적 경우를 모르는 것은 아니지만, 현실적으로 필드에 나갔을 때 번번이 땅볼이 난다든지 공중볼이 되어 연못에 풍덩하는 등 낭패를 당하는 경우가 가끔 있는 아마추어들은, 그 원인을 티의 높이에 있다고 보고 높이를 조절하는 경우가 많다.

우리도 보통 새벽 골프에선 티를 높이고 낮 골프에서는 높이를 제한하는 경우가 있다. 그러나 땅볼이 난다든지 공중볼이 되는 것은 근본적으로 스윙 타법의 문제이지 티의 높이 문제는 아니다.

그러나 경험적으로 보았을 때 장타자의 경우 티를 높게 꽂는 경우가 많다. 몇 년 전 스코트 호크와 같이 한국에 왔던 미국인 프로가 티를 높게 꽂고 장타를 휘둘러 스코트 호크보다 훨씬 멀리 치는 것을 보았다.

문제는 티를 높게 꽂았을 때와 낮게 꽂을 때 볼에 어

떤 변화가 있느냐 하는 것이다. 티를 높게 꽂았을 때 대개의 아마추어는 정확히 볼을 저스트 미트하기 어렵기 때문에, 볼이 날아가는 구질이 변형되어 좌우로 휘어지는 강도가 높아져 훅이나 슬라이스화하는 경향이 짙다는 것이 경험적 사실이다. 이에 비하여 낮은 티의 볼은 상대적으로 좌우로 휘는 강도가 낮아 그만큼 OB의 확률이 작아진다고 할까?

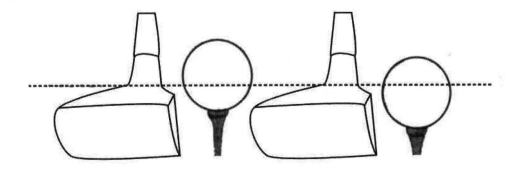

그래서 아침에 몸이 덜 풀린 상태에서 티를 높게 꽂고 장타를 시도하면 공이 좌우로 휘어지기 쉬우나, 낮게 꽂고 치면 땅볼이 되어 거리를 손해 보게 되는 것이 보통이다.

최근엔 기술의 발달로 빅 헤드 드라이버(big head driver), 즉 데카 드라이버(deca-driver)가 유행하다 보니 상대적으로 티도 높아질 수밖에 없다. 그러나 티의 높낮이는 어떠한 타법을 쓰느냐에 따라 달라진다고 할 수 있다. 일반적으로 다운 블로우 타법을 사용하여 클럽 헤드가 최저점에 이르기 전에 공을 치는 사람은 낮게, 반대로 어퍼 블로우로 최저점을 지나서 볼을 치는 사람은 높게 꽂는 것이 보통이다.

극단적인 경우 아이언으로 페어웨이에서 어프로치 샷을 하는 경우는 다운 블로우로 치는 것이 원칙이고 그때에는 티가 없다. 따라서 방향을 잡으려면 낮을수록 좋고 거리를 내려면 다소 높게 꽂는 것이 유리할 수도 있다. 연습장에서 매트에 고정되어 있는 티에만 맞춰 칠 것이 아니라 티를 바꿔가면서 연습해 보면 감이 잡힐 것이다.

스윙 폼이 천차만별인 아마추어 골퍼들이 스윙 자체를 교정하기에는 상당한 시간이 걸리고 당장 볼이 제대로 맞지 않아 고민하고 있을 때 티를 조절함으로써 샷을 하는 것도 하나의 방법이 될 것이다.

그리고 일요일 새벽 몸이 미처 풀리기도 전에 첫 티 샷을 할 때는 땅볼이 되기 쉬워, 이런 경우 다소 티의 높이를 조절하면 땅볼을 미연에 방지할 수도 있다. 문제는 각자의 성향과 때와 장소에 맞추어 티의 높이를 조절하여 치는 것도 아마추어 골퍼의 특권이라고 할 수 있다.

E. 첫 티는 높이 꽂아라

토요일 오후 일을 끝낸 뒤 허둥지둥 예약 부킹 시간에 맞추려고 고속도로를 달린 뒤 미처 몸을 풀 겨를도 없이 첫 번째 홀 티잉 구역에서는 주말 월급쟁이 골퍼, 일요일 새벽 4시에 일어나서 쏜살같이 달려 만남의 광장에서 합석하여 미명(未明)에 골프장으로 달려 나온 새벽파들.

그리고 남편이 직장에 가고 아이들이 학교에 간 사이 동네 친구들과 모처럼 라운딩을 즐기려고 골프장을 찾은 레이디 골퍼들, 모두가 무엇엔가 쫓기듯 필드에 나왔으니 처음부터 샷이 제대로 될 리가 없다.

이런 때에는 다음 조가 뒤에서 대기하고 있는 경우가 많아 그렇지 않아도 스트레스를 받는데 티 샷한 볼이 그대로 땅볼로 기어가다 멈추고, 모처럼 맞았다 하더라도 훅이나 슬라이스가 나서 당황하게 되는 경우가 있다.

그 중에서도 땅볼이 나서 몇 미터 앞에 공이 떨어질 때는 민망하기 이를 데 없다. 물론 상당한 수준의 골퍼는 이런 일이 드물겠지만 그들도 몇 시간 차를 몰고 와서 새벽 골프를 치는 경우엔 한두 번 이런 경험을 했을 것이다. 문제는 골프도 스포츠인 이상 예비 운동을 하고 난 뒤 라운딩에 들어가야 하는데 그렇게 하지 못하는 경우도 더러 있다는 데 문제가 있다.

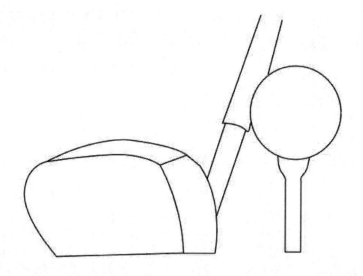

6. 마키아벨리의 지혜

프로들도 시합을 앞두고 미리 컨디션을 조절함은 물론 시합 당일에도 미리 나와서 몸을 풀고 예비 연습을 하는 것이 상례인데, 아마추어들이 예비 운동도 안하고 티잉 구역에 선다는 것은 어떻게 보면 무책임하다고 볼 수밖에 없다.

그러나 시간을 겨우 내서 **빠져** 나왔는데 한가하게 준비 운동으로 시간을 보낼 수는 없고 해서 그대로 첫 샷을 날리는 경우가 흔히 있는 것이다. 사람들이 이런 때는 3~4홀까지 몸을 풀면서 그 날의 컨디션을 조절해서 라운딩을 시작할 수밖에 없다. 따라서 처음부터 회심의 장타를 날리려 하지 말고 가볍게 티 샷하는 것이 상책이다.

사람의 몸은 생리적 기능을 일으켜 운동하는 동안 혈액, 호흡, 맥박 들이 변화를 일으켜 점차 격양되기 때문에, 그에 맞춰 클럽을 휘두르지 않으면 어제 아무리 잘 쳤다 해도 오늘은 형편없는 점수를 내는 경우도 있는 법이다. 따라서 이때에는 1, 2, 3차 홀에서 드라이버보다도 스푼)이나 바피를 권하는 사람도 있다.

스푼이 드라이버보다 더 잘 맞는다는 보장은 없지만, 일반적으로 컨트롤하기 쉽고 로프트가 크기 때문에 공이 땅볼이 되는 확률도 적기 때문이다. 그러나 대부분의 사람들이 클럽을 낮춰 잡는 용기가 없어 그대로 드라이버로 치다 땅볼을 내는 것은 어찌해야 될까? 이런 사람에게는, 첫 홀에서는 평소보다 티를 다소 높게 꽂기를 권하고 싶다.

몸이 풀리지 않은 상태에서는 자기도 모르게 몸이 굳어 있어 스윙 궤도가 약간이나마 볼 위를 스쳐가는 확률이 크다. 그때 티가 낮으면 토핑(topping)할 확률이 크다.

뿐만 아니라 대부분의 아마추어는 스윙을 하면서 상체를 세우게 되고 어드레스 때보다 더 낮추어서 치는 사람은 없기 때문에 새벽 골프는 몸이 풀리지 않은 상태에선 약간 티를 높이는 것이 결과가 좋을 수 있다.

하지만 티를 높이면 평소 슬라이스가 심한 사람은 더 슬라이스가 나고 훅이 심한 사람은 더 훅이 날 가능성이 있으니, 힘을 조정하면서 가볍게 쳐야 한다. 18홀이 끝나 봐야 골프는 결판이 나는데 첫 번째 샷에 모든 것을 걸고 친다는 것은 아직 치기(氣)가 있거나 연습이 부족한 탓이기도 하다. 자, 마음 놓고 숨을 들이켠 다음 방향을 다시 한 번 보고 가볍게 첫 타를 날려 보자.

7. 빠삐용의 탈출

절해고도(絶海孤島) '악마의 섬'에서 13년 동안 인고(忍苦)와 애환(哀歡) 끝에 그는 결국 자유를 찾았고, 뭇사람과 더불어 삶을 공유하게 된다.

골프도 '악마의 섬' 에 갇힐 때가 있다.

빗나간 볼은 탄탄대로를 놔두고 때로는 숲 속으로, 때로는 벙커로 빠져 실의와 비애를 맛보게 하는 것이 골프.

그러나 그 속에서 나와야 하는 법. 숲을 헤치고 조그마한 햇빛을 찾아 간극(間隙)을 뚫고 나와야 되고, 무너진 둑에서는 하늘 높이 쳐올려 사뿐히 떨어뜨려야 하는 법. 그러나 홀은 아직도 멀어, 또 다른 함정이 도사리고 있는 것이 골프. 산 넘어 바다가 있다.

A. 러프에서의 탈출

한국의 골프장은 대개 산을 깎고 나무를 베어 골짜기를 메워 코스를 만들었기 때문에 굴곡이 심하고 업 다운(ups & downs)이 많을 뿐만 아니라 나무숲이 우거진 러프(rough)가 많고 돌이 무성한 비탈이 많다.

따라서 일단 러프에 볼이 들어가면 깃대가 안 보일 뿐만 아니라 도그레그 코스(dogleg course)가 많기 때문에, 곧장 러프에서 온 그린(on green)시키기 어려운 곳이 많다.

샷 거리가 비교적 짧은 레이디 골퍼나 시니어 골퍼는 그래도 러프에 들어가는 확률이 적지만, 젊은 학생과 청장년기의 아마추어 골퍼 중엔 샷의 미숙함과 장타를 치려는 욕심 때문에 곧잘 슬라이스를 내면서 산 속으로 볼이 휘어 들어가는 경우가 있다.

프로의 경우는 페어웨이 적중률이 높고, 설령 러프에 들어가도 아마추어와 같이 슬라이스를 내면서 산 속 깊이 들어가는 경우는 비교적 적기 때문에 쉽게 러프에서 빠져 나올 수 있지만, 아마추어의 경우는 다르다.

러프에 들어가면 스탠스 잡기도 어렵고 나무 틈으로 방향잡기도 어렵기 때문에 결국 안전하게 가까운 페어웨이에 빼내는 것이 상책이다. 그렇지만 욕심은 억제하기 어려운 것,

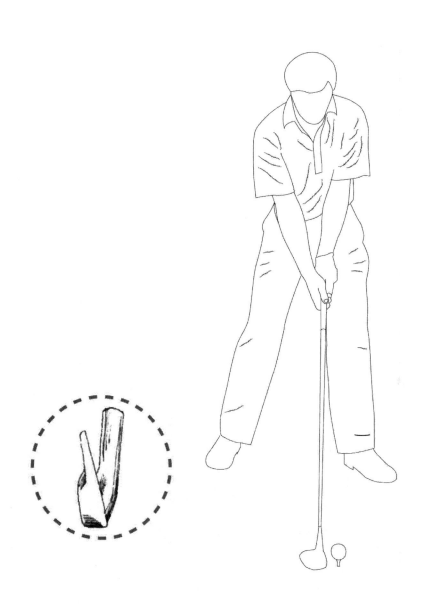

기어코 나무 사이로 깃대 쪽을 향해 치다가 더 깊은 러프에 들어가 모처럼 착실히 쌓아 둔 스코어까지 이곳에서 다 잃게 되는 것이 아마추어 골프이다. 따라서 자신이 있는 경우를 제외하고는 가장 넓은 공간을 이용하여 페어웨이로 빼면 한 점만 손해 보는 것이 고작이고, 재수가 좋아 미들 홀 같으면 스리 온(three on) 원 퍼트(one putt)하여 파를 건질 수도 있는 것이다.

사람이 살다 보면 때때로 자신에게 불행이 닥쳐오는 경우가 있다. 그러나 인생 자체가 희로애락을 되풀이하면서 유전하는 것으로 자위하고 어려운 때를 슬기롭게 넘기면 고진감래라 하지 않던가?

골프도 마찬가지다. 세계적인 프로도 러프에 들어가는 일은 가끔 있다. 이때 문제는 이것을 어떻게 처리하느냐이다. 그 점에선 벙커 샷이나 러프 샷이나 다를 바 없다. 자신이 없으면 페어웨이로 쳐서 다음을 기약하는 수밖에 없다. 어쩌다 한번 성공한 지난번의 멋진 샷을 오늘 시도한다고 성공할 확률은 적다. 이러한 샷은 십중팔구 실패로 끝나는 게 보통이다.

통상 아마추어와 프로의 차이는 이런 곳에서 나타나고, 초보자와 경험자의 차이도 이곳에서 나타난다. 따라서 이때에는 무리를 하지 않는 자세, 거리보다 안전을 생각하는 자세, 그리고 후일을 기약하는 슬기 등이 무엇보다도 필요하다.

또 러프에 들어간 볼은 때때로 찾기가 힘들어 산 속이나 산등성이를 훑어보지만, 영영 못 찾는 경우가 있다. 한두 번이 아니고 몇 번 이런 과정을 되풀이하다 보면 지칠 대로 지쳐 아예 그 다음부터는 볼이 맞지 않아 엉망이 되는 수가 있다.

따라서 3분 이내에 찾지 못하면 빨리 다음 조치를 취하고, 다른 사람의 플레이에 방해가 되지 않도록 배려하는 것도 골프에티켓의 하나이다.

따라서 깊은 러프에 들어간 경우는 홀까지의 거리와는 상관없이 긴 클럽보다도 짧은 아이언을 들고 궤도 낮은 펀치 샷(punch shot)을 하거나 하이 볼(high ball)을 날려야 되는 경우가 있다.

문제는 마음을 가라앉히고 거리에 욕심내지 말고 안전하게 넓은 페어웨이로 뽑아내는 자제력을 발휘하는 것이 무엇보다 중요하다. 욕심을 내서 그린만 목표로 한다면 제2, 제3의 러프가 또 기다리고 있어 자멸의 함정에 빠지게 된다. 이때는 기술보다도 마인드 컨트롤이 절실히 요구되는 때이기도 하다.

B. 공포의 벙커

1995년 세인트 앤드루스(St. Andrews)에서 열린 브리티시 오픈(British Open)에서 동점을 기록한 존 댈리와 로카(Constantino Rocca)는 4홀 연장전에 들어갔다.

그러나 '마(魔)의 17홀'에서 공포의 벙커(bunker)에 빠진 로카는 한 번에 볼을 밖으로 빼내지 못하고 3타만에 겨우 그것도 홀에서 상당히 떨어진 곳으로 온을 시켜 트리플 보기(triple bogey)를 범함으로써 시합은 싱겁게 존 댈리의 일방적 승리로 끝났다. 세계적 대선수도 벙커에 볼이 빠지면 이같이 허덕이는데 아마추어들이 벙커를 무서워하는 것은 당연한 것이 아닐까?

배운 지 얼마 안됐건만 남보다도 장타를 날려 유망주로 꼽히던 청년이 필드에 나가면 번번이 페어웨이 벙커(fairway bunker)나 그린 주변의 벙커에 빠져 기분이 상하면, 벙커 샷한 볼은 으레 한 번, 두 번 제자리걸음을 하고, 잘 쳐서 밖으로 나오더라도 거리가 미치지 못하여 얼굴이 붉어지는 경우가 종종 있다.

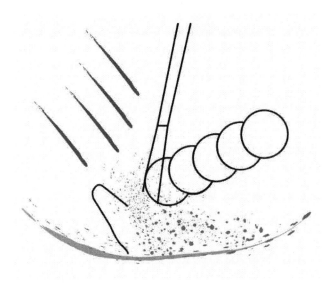

　그러나 프로들이 벙커에 들어간 볼을 홀 곁에 멋지게 붙여 파 세이브(par save)를 하고 아예 벙커에서 친 볼이 컵에 들어가 역전승하는 것을 보면 벙커가 공포의 대상이 되는 것만은 아닌 것 같다.

　문제는 벙커 샷이 티 샷이나 어프로치 샷과 마찬가지로 별도의 기법과 연습으로 기능을 쌓아야 함에도 불구하고, 어느 연습장을 가보나 벙커 샷을 연습할 만한 장소가 없을 뿐만 아니라 일반 매트에서도 샌드웨지(sand wedge)를 들고 샷 연습을 하는 아마추어는 보기 드물다.

골프장의 설계에서 벙커의 존재는 필수적인 것이고 벙커의 배열, 형태, 자리에 따라 골프 코스의 특징을 나타내기도 하는 만큼, 벙커 자체의 연구와 벙커 샷의 연습이 골프 기술 향상에서 절대적으로 필요하다. 따라서 골프를 배우면서 벙커를 피하여 샷을 날리기보다는 과감히 벙커를 넘기려는 샷을 구사하여, 벙커에 빠지더라도 두려워하지 않고 벙커 샷을 구사하여 파 세이브하는 노력을 계속한다면 기술 향상이 되리라 믿는다.

벙커를 피해 볼을 날린다 해도 18홀 전체에 수십 개 또는 100여 개에 달하는 벙커를 비껴가기는 어렵다. 핸디가 내려가면 내려갈수록 멋진 벙커 샷을 구사하여 홀 컵에 붙일 수 있게 되면, 자신이 생겨 티 샷이나 어프로치 샷도 거침없이 칠 수 있어 스코어 메이킹에 훨씬 도움이 된다.

그리하여 점차 벙커 샷이 마음먹은 대로 되면 공포심에서 탈피해서 담담한 심정으로 일반 그린에서 치는 것과 다를 바 없게 되는 것이다 .

물론 벙커에도 크게 나눠 모래가 깔려 있으나 별로 깊지 않은 페어웨이 벙커(fairway bunker)와 크로스 벙커(cross bunker) 그리고 그린 주위의 가드 벙커(guard bunker)가 있다. 그 중에는 개리슨 벙커(garrison bunker) 또는 포트 벙커(pot bunker)가 있는데, 우리나라에서는 별로 볼 수 없지만 외국에선 거의 사람 눈높이만큼 깊숙이 들어가는 벙커이다. 그러므로 이러한 벙커 샷에 필요한 도구로 발달한 샌드웨지를 잘 사용하는 것이 중요하다.

뿐만 아니라 샌드웨지로 샷을 능란하게 구사할 줄

아는 사람이 대개 스윙 폼도 좋고 티 샷은 물론 기타 샷도 좋기 때문에 과감히 샌드웨지의 활용을 권하고 싶다.

또 샌드웨지는 벙커 샷용으로만 쓰이는 것이 아니기 때문에 이 독특한 클럽을 별도로 연습하지 않고는 기술 향상이 되지 않음은 물론 스코어 메이킹에도 도움이 안 된다.

그리고 샌드웨지는 근거리 어프로치 샷에도 자주 사용되어 여러 가지 용도로 사용할 수 있는 만큼 연습장에서 10~70m의 거리를 목표로 연습을 계속하면 점수는 눈에 띄게 달라질 것이다. 이제 드라이버만 연습하지 말고 샌드웨지도 일정한 시간을 할애하여 자리매김해 두는 것이 '로우 핸디'로 가는 첩경이다.

C. 슬라이스와 훅

골프를 시작하여 어느 정도 되면 대부분의 플레이어가 슬라이스(slice)로 고민하게 되고 이어 훅(hook)에 고민하게 된다. 반대의 경우도 있지만 말이다.

골프 클럽을 몇 천 번 휘둘러 봤지만 계속 볼은 오른쪽으로 휘고 어느 때는 왼쪽으로 굴러가니, 안타깝기만 하고 쉽게 고쳐지지 않아 고민하는 경우가 많다. 더구나 힘 있는 젊은 초보자일수록 공은 똑바로 날아가지 않는 것이 보통이다.

그래서 볼이 OB가 나거나 슬라이스가 나서 수풀 속으로 들어가면 애써 벌어 놓은 스코어를 다 잃게 된다. 그뿐인가? 이어 다음 홀도 또 다음 홀도 파는커녕 보기도 못 잡아 그 날의 골프는 엉망이 되기 십상이다.

전문 기술 서적을 보면 슬라이스의 원인을 수없이 들었지만 자기가 어떤 원인 때문에 슬라이스를 치는지는 알 수 없고, 설령 안다 해도 바로 고쳐지지 않고 되풀이되는 것이 다반사이다.

이럴 경우에는 가까운 연습장에 가서 계속 연습 볼을 날려 어느 정도 슬라이스를 잡았다고 자신이 생긴 뒤 필드에 나가면 또다시 한두 번은 슬라이스가 나오니, 탄성을 지르지 않을 수 없다.

프로의 세계에서도 마찬가지이다. 선두 주자가 최종 라운드 17, 18홀에서 티샷한 볼이 페어웨이를 벗어나 러프에 들어가거나 벙커에 빠져 아깝게 챔피언 자리를 놓치고 마는 경우도 있다. 하물며 아마추어의 경우에는 어떻겠는가? 그런 점에서 오히려 위안을 받아야 할 것이다.

물론 우리는 슬라이스든 훅이든 교정은 기본적인 폼에서부터 시작해야 할 것이다. 특히 젊은 골퍼일수록 그렇다. 어느 정도 나이가 들고 경험이 쌓이면 몸이 굳어져 폼을 고치기가 어려워 그저 지엽적인 미봉책으로 커버하는 것이 보통이다.

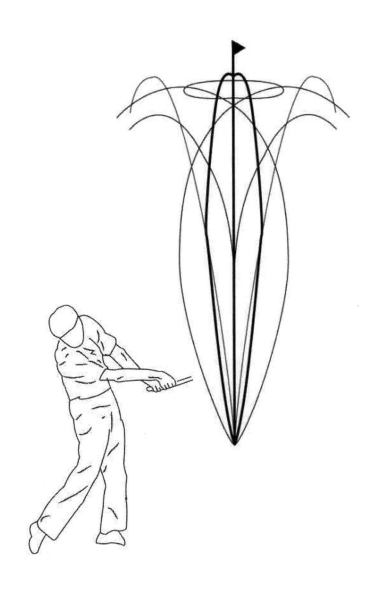

슬라이스든 혹이든 한 가지만 나는 것이 아니라 때로는 슬라이스 때로는 혹이 섞여 나는 것이 더 문제다. 자기 볼의 방향을 믿을 수 없기 때문에 어느 쪽으로 볼을 쳐야 될지 몰라 당황하게 된다.

그러나 대부분의 경우 어느 정도 치게 되면 슬라이스든 혹이든 한쪽으로만 치우치기 때문에 그때는 그 점만 교정하면 된다. 물론 골프공은 그야말로 직선으로 날아가는 것은 드물고, 정도의 차이는 있지만 오른쪽 또는 왼쪽으로 치우쳐 날게 되기 마련이다.

그것이 혹이 되기도 하고 슬라이스가 되기도 하지만, 계획적으로 샷을 하는 경우엔 페이드 볼(fade ball)이 되기도 하고 드로 볼(draw ball)이 되기도 한다. 사람에 따라서는 드로 볼을 주로 하거나 페이드 볼을 주로 하는 플레이어가 있고, 양쪽을 마음대로 구사하는 사람도 있다.

그러나 애버리지 골퍼 (average golfer)의 경우 어느 기간은 슬라이스 또는 혹이 나는 게 상례이고, 기본적인 폼이 굳어지게 되면 거의 슬라이스나 혹, 한편으로 굳어지게 된다. 그런 경우엔 가능하면 드로 볼이나 페이드 볼로 발전시켜 자기 식으로 만들면 스코어에도 훨씬 보탬이 될 것이다.

벤 호간(Ben Hogan)은 병석에서 일어나 일 년 뒤 재기하고 나서 토너먼트를 휩쓸어 불후의 명성을 날렸다. 그런 그에게 기자들이 비결을 물었을 때 3년 뒤 밝힌 비법은 너무 간단했다. 벤 호간은 왼쪽 엄지손가락을 샤프트 위 정위치에 놓고 똑바로 치느냐, 약간 왼쪽으로 놓고 페이드 볼을 치느냐 또는 오른쪽으로 놓고 드로 볼을 치느냐에 따라 방향을 조절

했다고 밝힌 일이 있다.

　　아마추어 골퍼가 페이드 볼이 자신 있는 경우에는 페어웨이 왼쪽을 겨냥하고 드로 볼의 경우에는 오른쪽을 겨냥하고 치면 페어웨이의 한가운데를 직접 겨냥할 때보다 2배의 넓이를 이용할 수 있다. 때문에 OB가 나는 확률은 그만큼 줄어들며 또한 안심하고 칠 수 있어 비거리(飛距離)도 더 나가는 것이 보통이다.

　　더구나 티잉 구역의 스탠스 자리는 곳에 따라서 평평하지 않고 또 페어웨이도 곳에 따라 업힐 (uphill), 다운힐 (downhill), 오른쪽 슬로프, 왼쪽 슬로프 등 가지각색의 상태이기 때문에 스탠스로 방향을 조정하기가 어려워 그때는 왼쪽 엄지손가락 하나로 조정하는 것이 아주 편하다. 나는 필드에 나갈 때 벤 호간의 이 비법을 십분 활용하여 좋은 점수를 낸 적이 많다. 한 번 시험해 보기를 권한다.

D. 토핑의 방지

비온 날 오후 모처럼 나온 필드에서 힘껏 휘둘러 친 볼이 뜨기는커녕 그대로 미끄러져 100m도 못 가 멈추는 일은 흔히 볼 수 있다.

특히 배운 지 얼마 안 된 초보자나 힘이 모자라는 레이디 골퍼에게서 자주 보는 이러한 토핑(topping) 현상은, 클럽헤드(clubhead)가 볼 윗부분에 맞아 일어나는 현상으로, 볼을 정확히 미트하지 못한 데서 오는 범타다. 그러나 초기에 자주 일어나는 토핑 현상은 플레이어를 애태우게 하고 그 뒤 계속 치는 후속타도 토핑이 계속될 때는 안타까울 수밖에 없다.

이러한 토핑은 초보자에게만 있는 일은 아니다. 꽤 잘 친다는 플레이어도 때때로 지친 오후엔 가끔 일어날 수 있는 일로, 어떻게 하면 이를 극복할 수 있을까 한번 생각해 봄직하다. 레이디 골퍼에게서 자주 보는 이러한 토핑 현상은 남자에 비하여 상대적으로 자상하면서도 연약한 여자들의 성격에서 비롯된다고 볼 수 있다.

처음으로 또는 잘해 봤자 한 달에 한두 번 비단결 같은 들판에 나온 것만도 기분이 좋아, 행여 잔디가 상할까 봐 볼만 살짝 친다는 것이 그만 토핑으로 이어지는 경우가 많아 남자들의 억센 성격과 대조된다.

TV에서 보는 수많은 프로 골퍼들의 페어웨이 샷을

보면, 주먹만한 흙덩어리가 골프공과 함께 날아가는 것을 자주 보지만 감히 아마추어 골퍼들은 그럴 엄두도 못 낸다. 그리고 그렇게 마음먹어도 필드에 나가면 볼만 살짝 치게 되어 토핑을 되풀이하게 된다.

뿐만 아니라 대부분의 초기 아마추어 골퍼들은 볼의 바로 위를 보고 치는 것이 상례이기 때문에 볼의 오른편을 쳐야 된다는 사실을 잊고 있는 것이 아닐까.

페어웨이라 하더라도 비온 다음날 잔디를 깎지 않았거나 또는 러프에 들어갔을 때 볼이 보이는 부분은 상반뿐이고 실상은 풀 속으로 몇 cm 빠져 있는 것이 보통이기 때문에, 이것을 감안하지 않고 샷을 되풀이하면 미스 샷의 원인이 되는 것이다.

따라서 이와 같은 상황에 놓였을 때는 과감히 볼 오른쪽부터 치고 들어가지 않으면 안 되며, 다운 블로우로 쳐야만 볼이 높이 떠올라 예정 거리를 날게 되는 것이다. 볼이 박혀 있기 때문에 띄우듯이 어퍼 블로우로 치거나 볼의 윗부분만 보고 잠긴 부분을 감안하지 않고 칠 때는 계속 토핑을 내게 된다.

역설적으로 얘기하면 볼의 오른쪽을 뒤땅 때리듯이 치는 것이 토핑 방지 수단이 될 수도 있다.

이런 아마추어적인 실수는 일반 교습서에도 설명이 자세히 안 나와 있고 연습장에서도 연습할 때는 잘 나오지 않기 때문에 실제 필드에 나가서는 여간 당황하는 게 아니다. 그러나 차분히 마음을 가라앉히고 두 번 되풀이하지 않기 위해서 자세부터 가다듬어 보자.

E. 뒤땅치기와 공중볼

골프에서 뒤땅치기, 즉 더프(duff)와 공중볼 즉 플럽(flub)은 대표적인 골프의 미스 샷에 속한다. 골프를 배우는 초기에 필드에서 실전에 임할 때, 연습장에서는 그래도 잘 맞던 클럽이 페어웨이에서는 왜 그렇게도 번번이 뒤땅을 치는지, 민망할 정도의 경험을 한 적이 있을 것이다. 특히 바람이 심하여 오르막이나 내리막에서 클럽을 휘두를 때는 곧잘 뒤땅치기가 나와서 초보자의 미숙함을 드러낸다.

반면 공중볼, 즉 플럽은 상당히 오랫동안 골프를 친 사람도 라운드 후반에 가면 곧잘 나온다. 특히 비온 날 오후, 물에 젖은 필드에서 많이 나온다. 그리고 나이가 많아 기력이 떨어진 노인이나 힘이 약한 여성 골퍼에게서 곧잘 볼 수 있는데 거리에 커다란 손해를 보게 된다.

더프와 플럽은 아직 스윙이 몸에 완전히 익지 않아 머리를 든다거나 체력이 떨어져 후반전에 스윙 폼이 무너져 일어나는 상으로, 원천적으로 스윙의 교정에서 출발하는 것이 원칙이다.

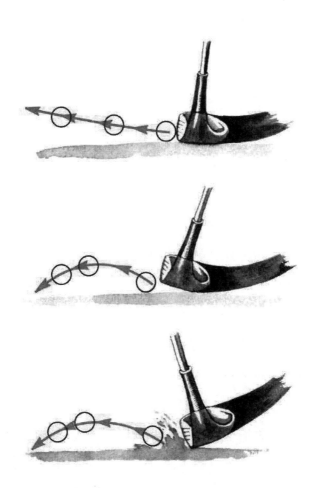

그렇지만 라운딩을 하다 이러한 실수를 되풀이하면 심리적으로 크게 위축이 된다. 그리고 아마추어 골퍼의 대부분이 인생 중반에 골프를 시작하고 완전한 스윙 폼을 갖추기 전에 필드에 나가기 때문에 이러한 현상에 대해 실전적인 대책을 세워야 할 것이다.

아마추어 골퍼가 흔히 페어웨이 샷을 할 때 페어웨이 자체가 연습장에서와 같이 평면이 아니고 한쪽으로 기울어져 있거나 처져 있다는 사실을 감안하지 않고 평소대로 그립을 길게 잡고 치는 것이 보통이다.

아직 충분히 클럽이 몸에 익지 않았는데 클럽을 길게 쥘 때는 컨트롤하기가 어려워 곧잘 몸이 흔들리고 체중 이동이 안 된 상태에서 샷으로 연결되기 때문에, 이러한 때에는 1~2인치 짧게 쥐고 천천히 쳐 보는 것이 제구력이 나아질 뿐만 아니라 거리 면에서도 손해가 없다는 것을 명심해야 한다.

클럽을 길게 쥐고 치면 많이 날아간다는 것은 어디까지나 잘 맞았을 때의 이야기이고, 클럽을 길게 쥐면 컨트롤하기 어려운 것이 골프 클럽이다.

더프에 비하여 플럽, 즉 공중 볼은 원인이 주로 다운 스윙만 있고 팔로우 스루 즉 스윙의 후동작을 생략함으로써 일어나는 미스 샷으로, 라운드 후반에 힘이 빠질 때나 비가 온 직후 물에 젖은 잔디에서 칠 때 자주 일어난다.

이때도 단기적 처방은 거리에 대한 욕심을 버리고 될 수 있는 대로 클럽을 짧게 쥐고 제구력을 강화하는 것이 상책이다. 뿐만 아니라 이미 힘이 빠진 상황에서 제구력을 높이기 위해서는 스윙을 될수록 천천히 함으로써 볼을 정확히 맞히는 확률을 높일 필요가 있다.

　　한번 손해 본 거리를 만회하려고 계속 클럽을 길게 쥐고 쳐 봤자 스윙 폼에 문제가 있는 한 쉽게 플럽은 수정되지 않기 때문에 미스 샷은 되풀이된다. 클럽을 짧게 쥐고 쳐 보자.

8. 독수리의 비상(飛翔)

하늘을 나는 독수리.

두 날개를 떡 펴고 빙빙 돌면서 계곡의 목표물을 노려본다. 그 웅장하고 표독함, 날카로운 눈. 일정한 거리를 재고 동서남북으로 자유자재로 날면서 목표물을 찾으면 쏜살같이 내려온다.

홀이 보이는 상태에서는 어떻게 해서든 이를 점령하려는 비상사태에 돌입하는 것이 골프.

동서남북으로 홀을 재고 거리를 살펴 착지점을 모색한다. 정확히 어프로치를 하지 못하면 엉뚱한 곳에 떨어지는 것이 골프공. 때로는 기어오르기도 하고, 때로는 벙커를 피해서 되돌아가기도 한다.

A. 홀까지의 거리

챔피언 티와 레귤러 티에서 홀까지의 거리는 상당한 차이가 있으며 다시 레이디 티에서의 거리는 더 짧은 것이 원칙이다. 골프 규칙 부칙 I-C에선 남자의 경우 파 3의 거리는 229m(250야드) 이하로, 파 4는 230m에서 430m(251야드에서 470야드)까지 그리고 파 5의 롱 홀은 431m(470야드) 이상을 거리 기준으로 정함을 원칙으로 하고 있다.

그러나 대부분의 코스는 거리 측정을 티잉 구역 중심에서 퍼팅 그린 중심까지 수평으로 측정하기 때문에, 오르막이나 내리막에서의 실제 샷 거리는 달라진다고 할 수 있다.

산을 헐어서 조성한 한국의 골프장은 외국에 비하여 기복이 심하고 가파른 데가 많아 실제 샷 할 때의 거리 측정은 상대적으로 더 어렵다고 할 수 있다

보통 오르막 홀은 짧게 하고 내리막이나 평평한 홀은 상대적으로 길게 하고 있기 때문에 거리가 짧다고 얕보다가는 의외의 낭패를 당하는 경우가 있다.

8. 독수리의 비상

프로의 경우는 평균 티 샷을 270야드 전후로 날려 그 곳에서 아이언으로 어프로치하여 온 그린을 겨냥해야 하기 때문에 티 샷 거리는 스코어 메이킹의 제1조건이라 할 수 있다.

상대적으로 거리가 뒤떨어지는 코리 페이빈이나 게리 플레이어가 절묘한 어프로치 샷을 구사하여 장타자의 간담을 서늘케 함은 특수한 경우고, 통쾌한 드라이버 샷은 좋은 출발을 기약하기 때문에 우리는 티 샷에 그렇게 열중하게 되고 한 치라도 더 멀리 치려고 발버둥 치게 된다.

그러나 인생 중년에 시작한 골프가 잘 맞을 리 없고, 더구나 과거에 야구나 테니스 등 유사한 타구 운동을 하지 않고 평생 일만 하다 느지막이 배운 골프는 200m를 날리면 잘 치는 편에 속한다. 200m를 날리는 경우에도 코스에 따라서 미들 홀의 경우 아직도 180m 이상 남아 있고 더구나 홀 앞에 벙커나 물이 버티고 있다면 세컨드 샷을 온 시킨다는 것이 주말 골퍼로서는 부담이 된다.

B. 지그재그 공략

코스를 공략하는 방법은 그 날 코스 상태와 날씨 그리고 코스 설계 등 여러 가지 요인을 참작하여 결정할 문제로, 아무리 스윙이 좋다 해도 공략 방법에 따라서 스코어도 크게 차이가 나는 것이 보통이다.

세계적인 프로도 그 날 자신의 컨디션에 알맞은 공략법을 쓰지 않고 어제까지의 좋은 성적만 믿고 오늘도 같은 방법으로 공략을 하다 점수를 내지 못하고 무너지는 경우를 많이 보아 왔다.

문제는 사람인 이상 아침저녁으로 컨디션이 변하고 바이오리듬이 변하면서, 우리의 스윙 폼도 영향을 받게 되고 샷도 달라지는 데 있다.

프로라면 오랜 경험과 매일 매일의 훈련으로 이를 커버해가지만, 아마추어의 경우는 몸이 말을 듣지 않아 볼이 정확히 목표 지점으로 날아가지 않는 것이 보통이다. 다시 말하면 잘 치는 볼보다도 잘못 치는 볼과 흡족하지 않은 볼이 상대적으로 많아 그 날의 스코어를 망치는 경우가 많다. 그래서 미스 샷을 줄이는 것이 아마추어 골프가 아니었던가.

이럴 경우를 가상해서 볼이 잘못 간다 해도 최소한 OB를 막아야 하고 벙커에 들어가지 않도록 공략하는 방법이 없을까?

이때 지그재그(zigzag) 방법을 권하고 싶다. 자로 잰 듯 정확한 샷을 전부 칠 수 없는 이상, 홀에 도착하기 전에 중간 목표를 지그재그 방법으로 정하자는 것이다. 이것은 특히 거리가 짧은 하이 핸디캐퍼(high handicapper)에게 권하고 싶다.

예를 들면 미들 홀에서 투 온(two on)에 자신이 없는 경우 또는 홀 앞에 벙커가 있는 경우에 지그재그 방법을 취하면 미스 샷을 한다 해도 그만큼 위험 부담을 줄인다는 의미에서 시도해 볼 만하다. 요는 400m의 미들 홀에서 홀 오른편에 벙커가 있을 때 어프로치 샷을 왼편에서 공략하게 되면 벙커에 들어가는 확률은 그만큼 적어진다.

따라서 어프로치 샷 이전의 샷은 오른쪽에서 왼쪽으로 샷하면서 공략하는 것이 유리하다. 물론 그때 왼쪽에 크로스 벙커나 페어웨이 벙커가 있다면 비켜가야 한다.

다시 말하면 투 온이 자신 없는 경우에 스리 온(three on)을 마음먹었다면 왼쪽에서 오른쪽으로 티 샷하고 페어웨이 샷을 왼쪽으로 그리고 어프로치를 오른쪽으로 하면서 공략하는 것이 코스 공략상 유리할 때가 많다.

대부분의 아마추어 골퍼들이 볼이 오른쪽 러프 또는 근처에 떨어졌을 때, 곧장 홀을 향하여 치다 두 번 세 번 러프에 빠져 더블 또는 트리플 보기를 내는 것은 흔히 보는 일이다. 그때는 오히려 왼쪽으로 쳐서 페어웨이에 안착시켜 그곳에서 어프로치 샷을 구사하는 것이 훨씬 낫다.

근거리 어프로치가 반드시 유리하다고만 볼 수 없다. 100m 어프로치와 70m 어프로치 중 어느 것이 더 정확할까? 그리고 30m, 50m의 경우는 어떨까? 쇼트 어프로치가 반드시 정확하다는 보장은 없는 게 아닌가. 과감히 지그재그 공략을 써 보자.

C. 그린의 공략

퍼팅 그린에 볼을 온 시킬 때 퍼팅하기 좋은 자리에 볼을 갖다 놓는 것이 어프로치 샷의 요체이다.

그러나 현실적으로 아마추어는 그린에 온 시키는 것

8. 독수리의 비상

도 어려울 뿐더러, 볼을 온 시켰다 해도 홀과는 거리 애를 먹는 일이 한두 번이 아니다.

아무리 퍼팅을 잘한다 해도 어느 정도 홀 근처에 갖다 놓아야 2퍼트로 마무리할 수 있지, 핀을 훨씬 오버하거나 내리막 경사진 데 볼을 갖다 놓으면 퍼팅하기가 막막할 때가 많다.

한국과 같이 춘하추동 기후 변화가 심하고 겨울에 잔디 보호 때문에 투 그린을 쓰고 있는 경우는 그래도 그린의 굴곡이 상대적으로 완만하다.

외국의 경우는 원 그린을 쓰고 있는 경우가 있어 이때 그린은 2단, 3단이 보통이고 전후좌우 굴곡이 심하여 처음으로 치는 사람에겐 여간 어려운 게 아니다.

또 투 그린을 쓰는 우리나라에서도 코스에 따라 그린 형태와 상황이 많이 다르기 때문에 핀을 꽂는 위치에 따라 공략이 달라질 수밖에 없다.

일반적으로 퍼팅 그린은 길이나 폭이 몇 십 m나 되어 전체 면적이 꽤 넓을 뿐만 아니라 평평한 것 같으면서도 굴곡이 심해 자주 쳐 보는 코스가 아니면 홀 컵 주위의 상황을 처음엔 잘 알 수가 없는 경우가 많다.

또 핀의 위치는 그린을 4등분하여 전후좌우로 홀을 만들어 가기 때문에 핀의 위치에 따라서 거리차가 나기 마련이며, 심한 경우엔 20~30m가 넘는 경우가 적지 않아 어프로치할 때 그린 중앙을 기준으로 측정한 거리 표시를 적절히 감안해야 한다.

통상 100m 전방에 흰 말뚝이나 나무가 심어져 있고 핀이 뒤에 있으면 이에 10m를 더하여 110m로 봐야 하고, 앞에 꽂혀 있으면 90m로 조정해야 하므로 약 20m의 거리차가 나기 때문에 핀이 어느 곳에 꽂혀 있는가를 확인하고 어프로치를 해야 한다.

뿐만 아니라 그 날의 기후 조건에 따라 볼의 구르는 거리가 다르므로 여름에 비가 온 직후에는 한 클럽 길게, 그리고 맑은 가을날엔 런을 감안하여 짧게 쥐는 등 같은 거리도 그때그때의 상황에 따라 처리할 수 있어야만 80대 전반을 칠 수 있고, 더 나아가 적중 확률이 커지면 70대로 돌입할 수 있는 것이다.

TV를 보면 미국 PGA의 프로들이 어프로치 할 때 거리를 거의 맞추고 좌우 어느 한쪽으로 약간 치우쳐 원 퍼트 또는 투 퍼트로 처리하는 것을 보면 감탄을 금치 못한다. 그리고 어떤 경우엔 볼에 백스핀을 먹여 2~3m 뒤로 되돌아오게 함으로써 물 건너 저편에 있는 그린의 이쪽 전방에 꽂혀 있는 핀에 가깝게 붙이는 것을 보면 신기에 가까울 뿐만 아니라 그렇게 해야 세계 정상에 우뚝 솟을 수 있음을 깨달았다.

애버리지 골퍼로서 그들의 기술을 흉내 낸다는 것은 다소 벅찬 일이나, 70을 내다보는 젊은 골퍼와 선천적인 소질이 있는 맹렬 골퍼는 서슴지 말고 그런 기술을 연마하여 스코어 향상에 노력하는 것 또한 재미가 아닐까.

D. 어프로치 샷의 맹점

기껏 200m의 통쾌한 티 샷을 날려 회심의 미소를 지었건만 세컨드 샷은 오른쪽으로, 혹은 왼쪽으로 어떤 때는 그린을 오버하고, 어떤 때는 아예 거리가 못미처 벙커에 빠져 어프로치 샷(approach shot)이 혼란에 빠지는 일은 자주 있는 일이다.

이에 비하면 프로의 경우 180~200야드의 거리를 아이언 6번 또는 5번으로 핀에 갖다 붙이는 것을 보면 감탄을 금치 못한다.

그러나 낙담할 일은 아니다. 세계적인 미국 PGA 투어에서도 선두 대열에 끼지 못하고 오버 파(over par)를 치는 수많은 선수의 태반은 역시 어프로치의 정확성에 문제가 있어서 낙오되는 것이 보통이다.

초보자와 경험자의 차이는 어프로치 샷을 능숙하게 하느냐 못하느냐에 따라 판가름 난다고 할 수 있다. 초보자의 경우 대부분이 연습장에서 티 샷만 연습하는 경우가 많고 어프로치 샷은 별로 연습하지 않기 때문에, 멋진 장타를 쳐놓고도 그린까지 올라오는데 애를 먹어 기진맥진하는 경우가 대부분이다.

싱글 핸디캐퍼(single-digit handicapper)를 제외하고 주말 골퍼가 미들 홀을 투 온하고 롱 홀에서 스리 온(three on)하는 경우는 많지 않다. 싱글의 경우도 몇 번은 실수하여 미스 샷을 날리는 것은 흔히 볼 수 있는 일이다.

따라서 레귤러 온을 하지 않았다고 실망할 일은 아니다. 주로 젊은 장타자가 멋진 티 샷을 날려놓고도 짧은 어프로치에 어려움을 겪는 일은 자주 있는 일로, 장단 호흡 맞추기가 그만큼 어렵다는 것을 말한다.

뿐만 아니라 70~100야드의 어프로치보다도 30~40야드의 어프로치가 더 쉽다는 보장이 없다. 오히려 30~40야드에서 뒤땅을 때리거나 땅볼을 내서 3~4타를 두드리는 경우는 상당한 실력을 갖춘 사람도 가끔 저지르는 실수다.

문제는, 온 그린은 물론 어프로치 샷을 핀에 붙여야 된다는 강박 관념 때문에 실수가 날 뿐만 아니라, 실제로 핀에 붙이지 못하면 3퍼트의 가능성까지 있어 어프로치 여하가 스코어를 좌우하는 경우가 많다.

내가 아는 한 친구는 페어웨이 샷의 경우 대개 70~80야드에 볼을 갖다 놓고, 그곳에서 그린으로 어프로치 하는 것을 기본으로 하고 있다. 평소의 연습도 피칭 웨지나 아이언 9번으로 연습하여 이 거리에서의 어프로치에 자신이 있을 뿐 아니라, 그린 가까이 가면 대개의 경우 볼의 라이나 자세가 좋지 않아 치기 어렵고 보다 더 잔기술이 필요하기 때문에 오히려 30~40야드의 어프로치를 피하는 것을 전략으로 하고 있다.

이에 비하여 절묘한 어프로치 샷을 구사하는 실력 있는 골퍼가 그린 에지 근처에 볼을 갖다 놓고 원 퍼트(one putt) 거리로 어프로치 하는 데는 감탄을 금할 수가 없다.

실력이 향상될수록 어프로치 기술은 늘어나고 점차 피칭, 로빙 그리고 벙커 샷 등 각종 기술이 발달함에 따라 핸디는 내려가게 되고, 파 플레이를 하는 홀이 늘어나면서 스코어가 향상될 때, 그 기쁨이란 롱 샷에 비하여 한층 새로운 맛을 더 하게 된다.

　　이제 연습장에 가면 드라이버를 잠깐 제쳐두고 쇼트 아이언으로 100야드 이내의 어프로치 샷에 보다 더 힘을 쏟자. 그리고 핀에 붙여 보자.

8. 독수리의 비상

E. 그린 주변의 쇼트 게임

프로와 달리 아마추어 골퍼 대부분은 그린에 레귤러 온 하기가 어려워 대개 그린 주변에 볼이 떨어져 이것을 어떻게 처리하느냐에 따라 그 날의 스코어가 좌우되곤 한다.

원래 젊은 골퍼는 힘을 바탕으로 장타를 휘둘러 250~260야드를 날려 실력을 과시하지만, 그린을 목표로 한 어프로치 샷은 빗나가기 일쑤여서 장타와 단타를 골고루 치려면 시간이 필요하다.

싱글 핸디쯤 되면 무난히 레귤러 온이 가능하지만, 보통 80대를 치는 주말 골퍼는 어쩌다 레귤러 온이 될 뿐 볼이 오버되거나, 또는 못 미치거나 빗나가는 일이 많아 그린 주변의 기술이 특히 요구되고 있다.

문제는 그린 주변 20~30m 이내에 볼이 떨어졌을 때 이것을 어떻게 처리하여 파를 세이브 하느냐에 따라서 그 날의 스코어가 좌우된다.

8. 독수리의 비상

대개 초보자의 경우 티 샷에만 열중하여 이와 같은 근거리 쇼트 게임(short game)에는 신경을 쓸 겨를이 없기 때문에 어이없게 땅볼을 내거나 또는 그린을 오버시켜 한 타 두 타 실수하는 것은 흔히 볼 수 있는 일이며, 웬만한 로우 핸디도 홀에 딱 붙이지 못하고 4~5m 이상 떨어져 온을 시킴으로써 사실상 파를 세이브 하기는 어려운 것이 80대 골퍼의 고민이며 어려움이다.

　　문제는 이러한 근거리 샷이 티 샷이나 페어웨이 샷과는 달리 다소 변형 샷이 필요하다는 데 있다. 이는 피칭이나 러닝 또는 피치 앤드 런(pitch and run) 그리고 로브 샷(lob shot) 등 오랜 경험과 센스를 필요로 한다.

　　그런데도 근거리 샷에 평소 연습을 게을리 할 뿐만 아니라 이를 정확히 전수하는 연습장이 드물기 때문에, 자기 나름대로 필드에 나가서 터득할 수밖에 없다고 생각하고 시행착오를 거듭하니 그 기술 습득에 시간과 돈이 들 수밖에 없다.

　　힘을 자랑하는 골퍼의 상당수가 이와 같은 근거리 샷에 약하다. 그러나 극도의 힘의 절약과 리듬을 요하는 이 기교, 즉 잔기술은 오히려 여자나 나이 든 골퍼에게 적합한지도 모르겠다.

　　골프를 점차 알게 되고 힘으로 모든 것이 해결되는 것이 아니란 것을 알게 될 때 그리고 90대를 깨고 80대를 바라보게 될 때쯤에는, 이러한 기교의 개발 없이 80대에 진입한다는 것은 불가능하다.

　　그리고 그린 주변이란 원래 관리가 가장 나쁜 곳이기

때문에 볼의 라이가 불안정하고 잔디의 언들레이션(undulation)이 가장 심한 곳이기도 하다.

따라서 골프 기술이 가장 세밀하면서도 신중한 플레이를 요하는 곳이기 때문에 사용하는 클럽과 샷의 방법을 잘 조화시키지 않으면 만년 B클래스에 머물러 보기 플레이를 면키 어려울 것이다.

이 점은 프로의 경우에서도 마찬가지다. 다만 프로의 경우엔 아마추어에 비하여 홀에 가깝게, 어떤 경우에는 칩인(chip in)을 시도하여 결승타를 노리는 등 목적이 다를 뿐, 근거리 샷을 얼마나 능수능란하게 하느냐에 따라 결과가 달라지는 것은 아마추어와 다를 바 없다.

일반적으로 힘이 쇠약해져 젊을 때와 같이 장타를 날리지 못하는 시니어 골퍼들이 그린 밑 공략에서 탁월한 능력을 발휘하는 것은, 오랜 경험과 센스를 활용하여 짧은 티 샷 거리를 보충해 나가는 지혜를 터득했기 때문이다.

그래서 20대와 30대, 40대가 골고루 섞여 게임을 할 수 있고, 60~70 고령의 부모와 아들, 사위가 같이 라운딩을 해도 승부를 가리기 힘든 스코어가 나오는 것은 근거리 샷이 완충 역할을 해 주기 때문이다.

따라서 쇼트 게임에 익숙해지면 아기자기한 묘미를 느껴 한층 더 깊은 경지에 도달할 수 있게 된다. 이제 드라이버보다도 샌드웨지나 피칭 웨지 그리고 9, 8, 7번 아이언을 들고 10야드 어프로치부터 다시 연습해 보자.

F. 쇼트 홀의 공략

어느 골프장을 막론하고 18홀 중 롱 홀이 4개, 쇼트 홀이 4개 그리고 나머지 10개가 미들 홀로 되어 있는 것이 보통이다.

프로들은 이 가운데 롱 홀에서 버디를 잡고 미들 홀은 상황에 따라 투 홀에 원 퍼트 또는 투 퍼트로 처리하는 것이 일반적이다. 그러나 원온 투 퍼트 (one on two-putt)를 기준으로 하는 쇼트 홀에서는 정확한 티 샷과 퍼트로만 처리해야 하기 때문에 파에 만족해야 될 때가 많으며, 쇼트 홀에서 버디 행진을 하면 그 날 스코어는 호조를 보이고 보기 플레이를 하면 난조를 보이는 게 보통이다.

아마추어의 경우는 쇼트 홀에서 파 세이브 하기는 어렵고 보기 또는 더블 보기를 자주하게 되며 쇼트 홀에서의 점수가 그 날 스코어를 좌우하는 일이 많다.그것은 쇼트 홀이 한 타도 허술한 미스 샷을 허용치 않고 어쩌다 가드 벙커나 러프에 들어가면 아마추어들은 빠져 나오기 힘들어 쉽게 한두 점을 먹게 되는 것이 보통이기 때문이다.

대개의 코스는 쇼트 홀 주변에 벙커가 있고 그린 자체가 포대(砲臺)그린인 경우가 많아 다소 방향이 빗나가거나 거리 측정이 잘못되면 온 그린하기가 어려울 뿐 아니라, 설령 온(on)된다 해도 홀에서 거리가 멀어 원 퍼트로 처리하기는 어려운 것이 사실이다.

　　따라서 아마추어의 경우에는 애버리지 골퍼의 태반이 거리가 못미처 그린 앞에 떨어지거나 빗나가는 것이 보통이다.

　　더구나 그린 주변은 가장 관리가 잘 안된 곳이기 때문에 잔디 상태도 좋지 않아 어프로치 샷을 해도 미스 샷을 유발하는 경우가 많다. 그래서 전문가들은 쇼트 홀에선, 가능하면 한 클럽 길게 쥐고 80%의 힘으로 치라고 권한다.

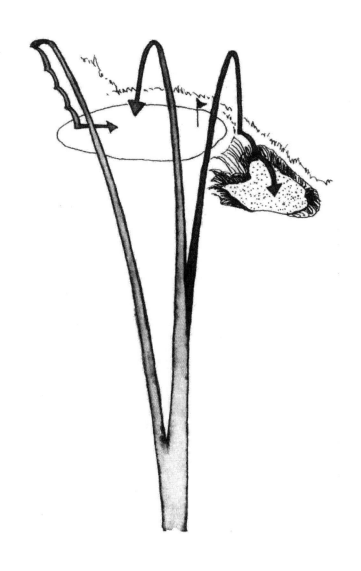

그러나 쇼트 홀의 최장 거리가 남자의 경우는 250야드(229m) 여자의 경우는 210야드(192m)로 규정되어 있기 때문에 코스에 따라서는 드라이버를 쳐도 미치지 못하는 홀도 더러 있어 이런 경우는 투 온을 할 수밖에 없고 미들 홀과 마찬가지로 접근해야 한다.

그러나 대부분의 레귤러 티에서는 원 온 거리에 그린이 있는 것이 보통이기 때문에 어떠한 클럽을 선정할 것인가, 또 쇼트 홀의 대부분이 내려치거나 올려치는 곳에 위치해 있어 바람이 불고 방향 잡기가 어려워 공략하기에 특별한 주의를 요하는 곳이 많다.

곳에 따라서는 쇼트 홀이 있는 곳에 사람들이 많이 밀려 있곤 해서 마음이 약한 플레이어는 관중을 의식하여 미스 샷을 내는 곳도 쇼트 홀이다.

결국 쇼트 홀을 공략할 줄 아는 사람이 그 날의 플레이도 잘할 수 있어 스코어 메이킹에도 우수한 점수를 따게 되는 게 상례이다. 소홀히 하면 안 되는 곳, 그곳이 쇼트 홀이다.

9. 독수리의 발톱

날카로운 그 발톱. 독수리는 그 발톱으로 사냥감을 낚아채고 둥지로 되돌아온다. 그 발톱에 걸리면 어떠한 짐승도 빠져 나가기 힘든 것. 더구나 움켜쥐고 하늘로 날면 땅 짐승은 사지를 못 쓴다.

홀이라는 목표를 찾은 이상 어떻게든지 이를 손에 넣어야 되는 법. 이제는 무엇으로 이를 잡느냐 고민한다. 갖고 있는 무기는 열네 개.

그 속에서 7번, 8번, 9번 때로는 피칭이나 샌드웨지를 꺼내든다.

그리고 홀을 낚아채는 사람이 이긴다. 그래서 될수록 홀에 가깝게, 될수록 핀에 붙이려고 온갖 방법을 동원한다.

A. 아이언과 우드의 선택

초보자가 우드 클럽(wooden club)을 열심히 연습해도 아이언 샷 연습은 비교적 적게 하는 것이 보통이다. 아이언 샷을 연습한다 해도 쇼트 아이언이나, 잘 해야 미들 아이언을 연습하고, 롱 아이언은 연습을 해도 잘 맞지 않아 연습을 거의 안한다.

이유는 그만큼 롱 아이언은 사용하기 어렵고 롱 아이언을 자유롭게 구사하려면 80대에 들어서야만 가능하다고 할까?

프로들을 보면 대개 200야드 전후의 거리를 롱 아이언으로 처리하여 그린에 올리거나 또는 그 가까이 갖다 놓음으로써 스코어를 줄여 간다.

그러나 아마추어의 경우 티 샷 거리도 제대로 안 나가는데 롱 아이언을 구사한다는 것은 능력 밖인지도 모른다. 따라서 롱 아이언 대신 바피(baffy)나 클리크(cleek)를 사용하여 거리를 내고 이를 애용함으로써 자연히 롱 아이언은 멀리하게 되는 버릇이 생긴다.

그러나 힘이 있는 남자 골퍼나 여자 골퍼라 하더라도 80대 이하를 목표로 하는 맹렬 골퍼가 롱 아이언을 구사하지 않고 넘어간다는 것은 편법에 불과하고 이를 과감히 사용하여 몸에 익히도록 해야 할 것이다.

쇼트 아이언이나 미들 아이언이 상대적으로 짧기 때문에 다루기 쉽고 편한 데 비해, 롱 아이언은 로프트가 작고 길이가 길기 때문에 맞았다 하더라도 방향과 거리가 정확하게 맞아떨어지기는 어렵다고 할 수 있다.

그러나 우드에 비하여 맞았다 하면 정확도가 높기 때문에 이를 애용하는 아마추어도 많을 뿐 아니라, 최근에는 치기 쉽게 디자인된 클럽이 많이 나와 반드시 다루기 힘든 것만은 아니다.

그러나 아마추어가 1번은 말할 것도 없고 2번, 3번 아이언은 다루기 힘든 것이 사실이고, 그래서 아예 처음부터 1번, 2번은 세트에서 제외되어 나오는 경우가 많다.

반면 우드 6번, 7번이 나와 롱 아이언의 거리를 커버하게 되고 그에 못지않은 정확도도 기할 수 있게 되어 힘이 약한 골퍼에겐 다행이라 하지 않을 수 없다.

롱 아이언에 비하여 미들 아이언은 다루기 쉬울 뿐 아니라 정확도도 뛰어나기 때문에, 핀을 바라보는 어프로치에는 이것을 사용하고 보다 작은 거리에선 쇼트 아이언을 사용하여 정확도를 기해야 한다.

이때 문제가 되는 것이 아이언의 거리이다.

사람에 따라 각기 다르지만 자기의 샷 거리를 어느 정도 정확히 알아둠으로써 클럽 선택에 만전을 기해야 할 것이다.

B. 쇼트 아이언의 사용법

100m 이내의 거리를 처리하고 그린 주변에서 어프로치 할 때 쇼트 아이언은 퍼터와 마찬가지로 스코어 메이킹의 주역이라고 할 수 있다.

애버리지 골퍼(average golfer)의 대부분이 그린에 레귤러 온 시키기 어려울 뿐만 아니라 롱 홀에서는 제3타를 100m 이내에 갖다 놓고 어프로치 하는 경우가 많기 때문에 거리와 방향을 정하고 홀 컵(hole cup)에 어프로치 시키는 방법은 천차만별이라 할 수 있다.

롱 힛터가 티 샷과 페어웨이 샷을 멋지게 날려 놓고 그린 주변에 와서 어프로치 샷에 실패함으로써, 차근차근 쳐온 쇼트 힛터에게 덜미를 잡히는 경우가 적지 않은 것도 바로 쇼트 아이언 처리에 문제가 있기 때문이다.

일반적으로 강타자가 거리를 내는 데는 강하나 가까운 거리에서 볼을 가볍게 쳐 붙이는 데는 약한 것은, 쇼트 아이언이 힘으로만 치는 것이 아니기 때문이다.

예를 들면 같은 피칭(pitching)이라 해도 어떤 사람은 120m가 나가는가 하면 70~80m에 그치는 단타자도 있어 어떤 채로 치느냐 부터가 관건이 된다.

대개 그린 주변엔 벙커가 있거나 그린 전체가 포대 그린이어서 정확한 샷이 아니면 온이 된다 해도 퍼팅하기가 어려운 경우가 많고, 그린의 형태에 따라 내리막 퍼트의 자리에 온 시켜 놓으면 다음 차례가 아주 어려운 경우가 많다.

　　　경험자일수록 쇼트 아이언과 샌드웨지, 그리고 피칭웨지의 처리가 능란하며, 벙커 샷, 피치 샷 그리고 로브 샷(lob shot) 등 다양한 샷을 구사하여 위기를 넘기고 파 세이브에 성공하여 스코어를 줄여 간다.

핸디가 낮아질수록 이러한 쇼트샷 처리가 향상되고 그 결과 스코어가 줄어들면 무리한 장타 욕심이 없어지고 모든 것을 순리대로 처리하려는 허심(虛心)의 경지에 이르러 골프의 묘미를 더욱 느끼게 된다. 쇼트 샷! 더 관심을 갖자.

C. 7번 아이언의 활용

아마추어 골퍼가 14개 골프채를 전부 완벽히 구사한다는 것은 그리 쉽지 않다. 젊은 사람은 장타를 날리고 싶은 욕망에서 드라이버나 롱 아이언에 열중하게 되고, 나이가 들면 힘이 약해져 페어웨이에서도 우드를 사용하는 횟수가 늘어나고, 레이디 골퍼는 처음부터 체격 조건이 안 맞아 우드로 홀을 공략하게 된다.

따라서 14개 클럽을 다 가지고 필드에 나간다 해도 상황에 따라서 그때그때 적절하게 클럽을 구사하는 경우는 드물고, 끝날 때 보면 한 번도 쓰지 않은 클럽도 있다.

사람에 따라서는 자기가 선호하는 클럽이 있다. 각자 체격 조건이 다르고 힘이 다르기 때문에 자연히 자신에게 잘 맞는 클럽, 맞지 않는 클럽이 있는 것이다. 그래서 자신에게 잘 맞는 채를 가려 쓰게 되는 것이다.

이러한 때에 7번 아이언은 가장 적격이라고 할 수 있다.

3번부터 샌드웨지까지 아이언 9개 클럽 중 7번 아이언은 중간에 해당되며, 거리 면에서나 로프트 면에서도 가운데 위치하여 쓸모가 다양하다.

애버리지 골퍼 가운데 사람에 따라서 7번 아이언으로 120~150m는 날릴 수 있는 것이 보통이고, 레이디 골퍼도 90~120m는 날릴 수 있어 7번 아이언의 사용에 따라서 스코어가 크게 달라질 수 있톱.

뿐만 아니라 그린 주변에서도 로프트를 살려서 피치 샷에도 사용할 수 있고 러닝 어프로치에도 사용할 수 있어 용도를 다양하게 쓸 수 있을 뿐 아니라, 러프에 볼이 빠졌을 때도 또 나무에 가려 나무 사이로 볼을 빼내야 할 때도 적격이어서, 아마추어는 7번 아이언을 집중적으로 사용하고 연습할 필요가 있다.

7번 하나를 가지고 파는 못해도 보기 플레이를 할 수만 있다면 얼마나 좋을까? 황금빛 나는 별 4개짜리 드라이버를 갖고 다니면서 동분서주하는 것보다, 7번 아이언 하나만 갖고 차근차근 쳐나갈 수만 있다면 어느 쪽이 더 경제적이고 희열을 느낄 수 있을까? 7번 아이언에 온 정열을 한번 쏟아보자.

D. 샌드웨지의 활용

샌드웨지(sand wedge)는 말 그대로 벙커의 모래밭에서 볼을 밖으로 쳐내는 용도로 만들어졌으리라.

만약 샌드웨지가 없었다면 1~2m나 되는 깊은 벙커에서 볼을 밖으로 쳐내기는 사실상 불가능할 뿐만 아니라 골프의 묘미도 그만큼 반감하리라.

1995년 브리티시 오픈에서 존 댈리(John Daly)는 4라운드 때 공포의 벙커에서 단번에 밖으로 쳐냄으로써 위기를 모면한 반면, 로카(Costantino Rocca)는 연장전까지 돌입했는데도 벙커에서 허덕이면서 어이없게 무너졌다.

또 1993년에 미국에서 PGA 챔피언십 (PGA Championship)을 석권한 폴 애이징거(Paul Azinger)도 역사에 길이 남을 만한 벙커 샷을 날렸으며, 1986년 PGA 챔피언십 (PGA Championship)을 석권한 보브 트웨이(Bob Tway)는 마지막 홀에서 그레그 노만(Greg Norman)을 멋진 벙커 샷(bunker shot)으로 컵인(cup in)시켜 따돌림으로써 그 해 4승을 거두어 PGA 최우수선수(Player of The Year)가 되었다.

이와 같은 마법적인 기록은 샌드웨지가 있음으로써 가능했다. 따라서 핸디가 내려갈수록 골퍼는 샌드웨지로 벙커 샷 하는 연습을 게을리 하면 안 된다.

게리 플레이어(Gary Player)의 벙커 샷은 너무 정확했기 때문에, 아놀드 파마(Árnold Palmer)는 게리 플레이어의 볼이 벙커에 들어가지 않았으면 좋겠다고 실토한 일이 있다.

일반적으로 아마추어 골퍼는 벙커를 무서워하여 아예 처음부터 벙커 샷 연습을 게을리 할 뿐더러, 일단 볼이 벙커에 들어가면 포기하는 심정으로 주섬주섬 치니 기술이 늘 수가 없는 것이다.

이러한 벙커 샷을 한 마디로 설명하기는 어렵지만, 클럽 페이스를 열고 왼발에 몸무게를 실으면서 서두르지 말고 하프 스윙으로 쳐내는 기초 연습부터 철저히 해서 기술을 습득해 나가야 한다.

벙커에서 샌드웨지를 쓰는 것은 두말할 필요도 없다. 그러면 샌드웨지는 벙커에서만 사용하는 것인가? 물론 초보자를 빼놓고 애버리지 골퍼로서 쇼트 게임에서 샌드웨지가 피칭 웨지와 마찬가지로 유용하게 쓰이고 있음을 모를 리 없으리라.

한국에 왔던 코리 페이빈(Corey Pavin)이 100야드에서 샌드웨지를 사용하여 거의 홀 컵에 붙인 샷은 프로뿐만 아니라 로우 핸디캐퍼의 일반적인 기법의 하나이다.

문제는 장타자들이 대개의 경우 100m에서 샌드웨지를 사용하여 어프로치를 시도함으로써 스코어를 줄여 나가고 있지만, 20~50m의 최단 거리에서는 어떻게 처리하고 있을까?

보통 힘이 있는 젊은이는 힘껏 치는 것은 쉽지만 힘을 빼고 가볍게 치는 것은 상대적으로 더 어려운 경우가 많다.

그렇기 때문에 50m 이내의 볼이 의외로 표적을 벗어나 홀 컵에서 크게 벗어날 때 실망하는 기색을 감출 수 없는 것은 아마추어 골퍼만의 경우가 아니다.

오랜 경력의 골퍼가 일반적으로 이러한 단거리를 잘 처리할 뿐만 아니라, 이때 샌드웨지 또는 피칭 웨지를 사용하여 핀에 원 퍼팅 거리로 붙임으로써 일찍이 온 그린 시킨 사람을 당황하게 만드는 것은 흔한 일이다.

샌드웨지는 따라서 벙커에서만 쓰는 전용 기구가 아니라는 것을 깨닫고, 적극적으로 쇼트 어프로치에서 활용함으로써 스코어를 줄일 수 있는 도구이니, 이를 적극적으로 사용하는 방법을 강구하여 스코어 메이킹에 기여함이 어떨까.

E. 클리크의 효용

클리크(cleek), 즉 우드 5번. 로프트 22° 샤프트 길이 40.5인치의 5번 우드는 애버리지 아마추어 골퍼에게는 가장 요긴하게 쓰이는 우드이다.

프로와 달리 드라이버 샷 거리가 충분하지 않고 따라서 아이언으로 미들 홀에서 쉽게 그린에 온 시킬 수 없을 때 클리크는 이를 대체하여 쓰일 뿐만 아니라, 롱 홀에서 페어웨이 샷에도 유용하게 쓰이고, 때로는 러프에서나 페어웨이에 있는 크로스 벙커(cross bunker)에서도 쓸 수 있어 만능 클럽으로 통한다.

    일반적으로 아마추어 골퍼는 티 샷 거리가 프로에 훨씬 못 미치기 때문에 롱 아이언을 들고 어프로치를 시도해야 되는 경우가 많으나, 롱 아이언은 생각보다 사용이 어렵고 페어웨이에서는 스위트 스포트(sweet spot)에 정확히 맞힌다는 것이 어렵기 때문에, 이때에 클리크를 사용하면 그 어려움을 상당히 해소할 수 있다.

    로프트도 3번 아이언의 23° 와 비슷하여 볼이 잘 날 뿐만 아니라 거리도 아이언 3번보다 더 나가기 때문에 곧잘 쓰인다.

    더구나 가을과 겨울에 풀이 죽고 땅이 거의 맨땅이나 다름없는 경우엔 아이언을 사용하는 것보다는 우드 특히 클리크를 사용하는 것이 훨씬 효과적이다.

    또한 그린까지 상당한 거리가 남아 있을 때 벙커에서 클리크를 사용하여 곧잘 150~160m의 거리를 날려 그린에 온 시킴으로써 파를 세이브할 수 있는 도구로도 쓰인다.

뿐만 아니라 이제 힘이 빠진 노년 골퍼나 상대적으로 남자 보다 약한 레이디 골퍼의 경우엔, 맹목적으로 드라이버를 잡는 것보다는 드라이버가 시원치 않을 때는 스푼이나 클리크로 대신하여 티 샷하는 것이 더 나을 때가 있다.

문제는 드라이버를 버리고 클리크를 잡을 수 있는 용기가 필요한 것이다. 그러나 대부분의 골퍼가 드라이버를 고집하는 바람에 미스 샷이 연이어 나오게 되는 경우가 많다.

아이언에 비하여 상대적으로 볼이 지면에 떨어진 뒤 런이 더 많은 것이 클리크의 특성이기 때문에, 그린에 볼을 어프로치 하는 경우엔 이 점을 감안하여 그린 앞에 떨어뜨려 핀까지 굴러가는 거리를 감안하는 것이 필요하다.

물론 이때 아이언 3, 4번을 자유자재로 구사한다면 아이언 샷을 하는 것이 훨씬 유리하다. 그렇지만 애버리지 아마추어 골퍼 대부분이 롱 아이언의 사용에 미숙하기 때문에 무리하게 아이언을 잡을 필요 없이 클리크를 활용함으로써 그에 익숙해지면, 샷도 부드러워지고 스코어도 좋아져 일거양득이 된다고 할 수 있다.

클리크를 적극적으로 활용해 보자.

10. 천지(天池)

　　백두산 영봉에 자리 잡은 고요한 바다 같은 호수 천지. 누구나가 한번 가보고 싶은 곳.

　　사방의 바위틈에 에워싸인 바다. 잔잔한 그 물결. 비가 오나 눈이 오나, 말없이 모두 받아들이는 그 웅대한 포용. 그러나 이곳에도 천지조화(天地造化)의 숨결이 있고 신비가 있어, 저절로 머리가 숙여진다.

　　산전수전 다 겪고 그린에 올라오면 정상에 올라온 느낌. 이제는 마음을 가다듬고 눈으로 헤아려 조용히 다 잡은 홀을 놓칠 세라, 홀 근방을 배회한다.

　　갑자기 정적이 휩쓴다. 사람들의 숨소리도 끊기고, 오직 플레이어의 맥박만 요동친다. 머나먼 길을 왔건만 놓치면 보기, 잡으면 버디. 오직 이 한 타에 모든 것을 건다.

A. 헤드업의 비극

"헤드 업(head up)이야."라고 점잖게 선배 골퍼가 신참 골퍼에게 들려주는 필드에서의 조언. 공이 잘 안 맞았을 때 으레 들려오는 이 '헤드 업' 한 마디가 모든 것을 말해 주는 것 같다.

본인도 미처 익숙지 못한 스윙에 행여 볼이 엉뚱한 데로 날아갈까 조바심하여 한시라도 빨리 자기가 친 볼의 방향을 알고 싶어 하는 심리는, 볼을 헛치게 만들어 '땅볼'이나 슬라이스'로 이어지게 만든다.

헤드업은 단순히 머리만 든다는 것은 아니다. 헤드업으로 인하여 모든 동작이 흐트러져 스윙의 중심축이 무너지고, 따라서 볼은 스위트 스폿(sweet spot)에서 벗어나 볼이 빗나가는 것은 오히려 당연한 이치라 하겠다.

그러나 헤드업은 상당히 오래 된 골퍼도 가끔 하게 된다. 그러나 본인은 헤드업인지 잘 몰라서 미스 샷의 원인도 모르고 헤매게 되는 게 보통이다.

지난번에 한국에서 개최된 쌍용챌린지 골프대회에 초청 선수로 참가한 코리 베이빈Corey Pavin)과 톰 왓슨(Tom Watson)의 샷을 보면, 둘 다 볼을 치고 난 다음에도 상당 기간 동안 머리를 그대로 고정시켜 놓고 눈을 아래로 직시하고 있는 것이 역력했다.

결국 헤드업을 하지 않고 볼이 놓인 자리를 직시하고 스윙 한다는 것은, 스윙 중심축을 흐트러뜨리지 않고 스윙함으로써 안정된 원운동을 가능케 하여 볼을 클럽헤드의 스위트 스폿에 맞혀 예정된 방향으로 날리게 하는 데 있다고 할 수 있다.

그러나 이 간단한 동작이 지켜지지 않는 이유는 무엇 때문 일까? 물론 볼의 날아가는 방향을 보려는 조바심이 직접적 원인이지만, 근본적으로는 평소 스윙 연습할 시 기본기가 튼튼하지 못한 데 보다 큰 원인이 있다고 할 수 있다.

모든 스윙 운동은 축을 받쳐 주는 중심이 안정돼야만 제대로 회전 운동이 가능하다.

그러나 골프의 경우는 중심축이 등뼈를 기준으로 한다고 하지만, 아래쪽은 양 발이 받쳐 주고 있으므로 안정돼 있고 머리 쪽으로 가면 고정되어 있지 않기 때문에, 이것을 의지와 연습으로 극복하는 길 밖에 없다. 간단한 것 같으면서도 간단하지 않은 것이 헤드 즉 머리동작인 것이다.

여기에 더불어 장타자는 얼마나 볼이 멀리 날아갈까 하고 미리 보고 싶은 심정, 초보자는 초보자대로 볼이 빗나가 옆 사람에게 피해를 주지 않을까 하는 심정 등이 가세하여 헤드업을 함으로써 미스 샷을 유발하고 그 날의 스코어를 망치는 결과를 가져온다.

그래서 잭 니클라우스는 고개를 의도적으로 약간 오른쪽으로 돌린, 즉 친백(chin back) 상태에서 공의 뒷면을 보고 스윙을 시작하고 백스윙을 천천히 할 것을 일반적으로 권한다.

일단 맞은 공은 맞은 상태대로 날아가는 것이 이치이다. 볼을 끝까지 보고 멋진 샷을 날린 다음 저 멀리 날아가는 볼을 본다 해도 늦지 않으니 이번만은 헤드업을 하지 말아야지!" 하고 다짐하건만 자기도 모르는 사이에 또 헤드업을 하고 마니, 이건 정말 아마추어 골퍼의 버릇인가.

B. 네버 업 네버 인의 함정

네버 업 네버 인(never up never in)은 그린에서 퍼팅했을 때 홀까지 미치지 못하면 홀에 컵인(cup in)하는 기회는 없다는 말로, 퍼팅에서 가장 많이 쓰이는 격언이다.

따라서 퍼팅에서는 홀을 지나가도록 스트로크를 함으로써 한 점 줄이는 타법을 쓸 것을 일반적으로 강조하고 있다. 실제로 아놀드 파마 같은 대가는 퍼팅시 볼이 홀을 지나가게 치는 대표적인 골퍼로 꼽히고 있다.

이론적으로 보면 모든 샷은 홀을 지나가야 홀인하는 기회가 생겨 대부분의 아마추어들도 이것을 실천하고 있다고 볼 수 있다. 그러나 문제는 홀을 지나가는 볼이 다 들어가지 않는 데 문제가 있다.

그린은 평평한 것 같으면서도 전후좌우로 기울어져 있을 뿐만 아니라 몇 개의 마운드가 있어 퍼팅한 볼이, 우리가 집에서 매트 위에서 치듯이 평탄하게 구르지 않는 데 문제가 있을 뿐 아니라, 대부분의 아마추어는 거의 매일 치는 프로와 달리 퍼트 감각에 자신이 없어 정확한 거리감을 갖지 못한 데 문제가 있다.

프로의 경우도 오르막 라이인 경우엔 어프로치시 가능한 한 홀 앞에 떨어뜨려 오르막 퍼팅을 하는 것을 선호하고 있다.

그러나 이에 반하여 내리막 퍼팅의 경우엔 사람의 힘으로는 제어할 수 없는 자연의 중력에 의하여 볼은 미끄러지듯 굴러가므로, 굴러가는 거리를 정확히 알아내기가 어려울 뿐만 아니라, 이에 좌우 어느 한쪽으로 슬로프(slope)되어 있다면 목표 지점을 크게 벗어나 자칫하면 3퍼팅을 하여 치명타를 입는 경우가 있다.

따라서 어프로치한 볼이 프린지 또는 에지에 붙었다 해도, 이를 홀에 바짝 밀착시켜 다음 퍼트 샷으로 컵인 시키는 것이 득점상 유리할 때도 있다.

사실 세계적인 프로들도 퍼팅은 평균 1.7~1.8로써 네댓 번에 한 번 정도 원 퍼팅으로 성공하고 대개는 투 퍼팅하고 있다.

TV에서 나오는 멋진 퍼팅의 예는 어쩌다 한 번씩 나온 롱 퍼팅을 비춰 주는 것으로, 들어가지 않는 수많은 볼은 안 비춰 주고 있는 것이다.

따라서 단 한 타로 역전승을 겨루는 예외적인 경우를 빼고는, 예를 들어 5m 이상이라든지 라인이 아주 어려운 때는 홀을 스치게 하는 것보다는 홀 가까이에 붙임으로써 3퍼팅을 방지하는 게 훨씬 현명한 방법이라 할 수 있다.

더구나 몸이 풀리지 않아 감각이 둔하여 백발백중 자신이 없는데도 무모하게 욕심을 내서 컵인을 시도하여 그 뒤의 샷도 미스하여 3퍼팅을 하게 되면, 다음 홀의 샷까지도 영향을 미쳐 커다란 낭패를 보는 경우도 있다.

따라서 네버 업 네버 인은 5~6m 이내의 안전거리에

한하고, 기타의 경우는 홀 가까이 붙여 투 퍼트(two putt)로 만족하는 것이 안전하지 않을까? 욕심을 버릴지어다. 아마추어들이여!

C. 퍼트의 묘미

골프 시합 중계방송을 보면 물론 티 샷이나 러프 샷도 보여 주지만 대부분의 시간은 그린 위의 퍼팅이 차지한다. 갤러리(gallery)도 그린 옆에 도사리고 앉아 있고, 특히 18번 마지막 홀의 그린 주변엔 유명한 시합일수록 인산인해를 이루고 있는 것이 특징이다.

파 72의 정규 코스에서 퍼팅의 비중은 최다타를 점하여 퍼트의 결과에 따라 승패가 좌우되는 경우가 많다. 프로의 경우엔 대부분 규정 타수 이내에 온 그린을 시키고 롱 홀에서는 투 온 하는 경우도 있으나, 승패는 여전히 퍼트에서 좌우된다.

1989년 마스터즈 대회(The Masters)에서 선두를 달리던 스콧 호크(Scott Hoch)가 17번 홀에서 90cm의 쇼트 퍼트를 놓쳐 연장전에 들어가는가 하면, 연장전에서 또 60cm 쇼트 퍼트를 놓쳐 아까운 승운을 놓치고, 끝내는 끈질긴 닉 팔도(Nick Faldo)에게 무릎을 꿇은 것도 퍼트의 부진 때문이었다.

그렇게 간단하게 보이는 퍼트가 승패를 갈라놓는 것을 보면 퍼트에도 요령쯤은 있을 법한데.

기술 서적을 보면 퍼팅에 관한 몇 가지 요령이 열거돼 있지만 퍼트는 치는 사람에 따라 천차만별이라 딱 부러지게 '이것이다.' 라고 단언할 수 없으며, 결국은 각자의 폼과 센스 그리고 배짱에 맡기고 있다.

사실 아마추어의 대부분은 퍼트를 연습할 적당한 장소도 없을 뿐만 아니라 여유 시간도 없어. 연습장에 가면 대부분 우드나 아이언 샷에 치중하여 퍼팅 연습은 많이 하지 않는다.

또 퍼트는 연습을 한다 해도 크게 느는 것 같지도 않을 뿐더러, 그 날 그 날의 컨디션과 잔디결에 따라 결과가 크게 다르기 때문에 연습한들 별 효용이 없는 것 같아 결국 경험과 경력에 따라 기술이 느는 것 아니냐는 의문도 갖게 된다.

그러나 어느 정도의 실력을 쌓아서 70~80대 스코어로 올려놓으려면 퍼팅 기술이 결정적으로 점수를 좌우하기 때문에, 비록 배우는 순서는 늦더라도 신경 쓰지 않을 수 없다.

더구나 더블 보기나 트리플 보기를 미연에 방지하고 2~3m의 거리에서 결정적으로 홀에 집어넣어야 될 때, 꼭 넣어야겠다는 마음을 다짐하고 볼을 넣는 쾌감을 맛보기 위해서는 퍼트 연습을 소홀히 할 수는 없다.

따라서 주말 골퍼, 가사에 얽매여 연습장에 자주 못 나가는 주부 골퍼, 자주 연습을 한다 해도 골프장 또는 연습장에 일일이 가야 되는 불편을 느끼는 골프 마니아 (golf mania)들 모두가 똑같은 고민을 하고 있어, 대개 집에 가면 연습용 매트를 하나씩 장만하여 연습하고 있는 것이 보통이다.

그러나 단조로움과 정형화된 라인 때문에 연습에 비해 기술 발달이 시원치 않고 재미도 없어 오래 가지 못하는 것이 보통이다.

퍼트 요령은 일정한 거리로 똑바로 칠 수 있느냐에 있으며, 그에 더하여 잔디결을 보고 높낮이를 판단하는 고도의 기술이 필요하다.

따라서 끊임없는 노력과 연습으로 필링(feeling)을 익히고 감을 잡아 이것을 극복해 나가지 않으면 안 된다. 그러기 위해서는 집에 있는 매트를 최대한 활용해야 한다.

보통 5m 정도 밖에 안 되는 집안의 매트로는 5m, 7m, 9m, 12m, 15m의 거리감을 충분히 느낄 수 없다. 이때 하나의 방법은 ∩과 같이 매트를 부풀려 마치 이중(二重) 그린에서 치는 요령으로 치면 거리감을 충분히 느낄 수 있다.

부풀림의 정도에 6m, 7m, 9m, 12m 심지어는 15m의 거리감까지 느낄 수 있어, 집에서 틈나는 대로 10분, 20분씩 연습하면 크게 힘 안 들이고 거리감을 터득하고 타구감도 느낄 수 있어 묘미가 한층 더해진다. 꼭 권해보고 싶은 방법이다.

D. 스리 퍼트의 예방

18홀을 도는 동안 몇 개의 퍼트를 할까? 홀당 2퍼트로 끝낸다면 36이 되어 파 72의 코스에선 퍼트가 절반을 차지하여 얼마나 중요한가를 입증해 준다.

퍼팅에 관한 기술은 여러 기술서에 전문적으로 기술되어 있는 것이 많지만, 티 샷과는 달리 각기 개성에 맞춰 역시 헤드업을 삼가고 살짝 또는 스트로크(stroke)식으로 히트해야 한다는 것을 골자로 하고 있다.

그러나 퍼팅은 최후의 목적인 홀에 컵인시켜야 된다. 말하자면 결정타이기 때문에 10m 이상에서도 들어갈 수 있고 1m 이내에서도 안 들어갈 수 있어 그야말로 희비쌍곡선이 갈리는 기로이기도 하다.

이러한 퍼팅의 요체는 결국 두 가지 사항을 고려해야 된다. 하나는 그린의 상태를 읽어 그에 맞추어서 방향과 거리를 조정하고, 또 하나는 퍼팅 자체를 조정한 대로 정확히 쳐야 한다는 것이다.

첫째 문제는 그린의 상태를 읽는 것이다. 대개의 애버리지 골퍼는 그린의 전후좌우의 슬로프, 즉 기울기를 정확히 읽기 어려울 뿐더러, 그린 상태는 아침과 낮에 따라 습기와 광택이 달라 사람의 눈을 현혹시키기도 한다.

물론 이때 제일 중요한 것은 슬로프가 오르막이냐 내

리막이냐며, 또 좌우 어느 한쪽이 더 높으냐에 따라 퍼팅 방향과 거리감은 크게 달라질 수 있다.

여느 그린을 막론하고 100% 평평한 그린은 없고, 깃대의 꽂는 위치에 따라 난이도가 달라지기 때문에 골퍼는 그린 상태의 파악을 경험적으로밖에 터득할 수 없는 데 문제가 있다.

일반적으로 초보자가 경험자에게 크게 당하는 부분도 그린 위의 퍼트이며, 프로 골퍼의 승패도 주로 퍼트에서 결정된다고 볼 수 있다.

아마추어 골퍼의 대부분이 티 샷의 화려함에 비하여 자제와 정신 집중을 가장 요구하는 이러한 퍼팅을 처음엔 소홀히 하다가, 90을 끊고 80대를 치게 될 때에는 퍼팅의 중요성을 깨달아 집에 매트를 사다 놓고 수시로 연습하는 것도, 좋은 퍼팅 없이는 스코어 메이킹이 불가능함을 점차 알게 되기 때문이다.

그러다가 필드에 나가 3퍼트, 4퍼트 하던 것이 2퍼트로 마무리되고 어떤 경우는 1퍼트로 컵인 될 때의 기쁨은 티 샷의 통쾌함에 뒤지지 않는다.

그러나 문제는 1퍼트 또는 2퍼트에 마무리하고 어떻게 3퍼트를 없애느냐 하는 것이다. 보통 버디 찬스를 놓쳐 파도 못하고 보기로 마무리한다거나 10m 이상의 롱 퍼트를 홀컵에 붙이지 못하고 3퍼트를 하게 되는 것은 그래도 있는 일이다,

슬로프가 일정치 않은 기기묘묘한 곳에 홀을 만들어 놓았을 때는, 어느 방향으로 어느 정도의 강도로 쳐야 되는지

감을 못 잡아 3퍼트를 하는 경우가 있다.

더구나 바닷가의 그린에서는 볼이 바다 쪽으로 흘러 눈으로만 방향을 잡기가 어려운데, 이처럼 어느 정도 감으로 치지 않으면 안 되는 경우도 있다.

따라서 퍼팅은 특별한 교습보다 실전을 중요시하는 것도 각각의 상황이 다르기 때문이다.

그린을 잘 봤다 해도 홀컵에 볼을 넣으려면, 두 번째 요소인 퍼팅 감각이 좋아 퍼팅에 무리가 없어야 예정대로 볼이 굴러 가서 홀인이 된다.

골프에서 그 날의 컨디션을 가장 민감하게 반영하는 것이 퍼팅이라고 할 수 있다. 티 샷이나 페어웨이 샷은 그래도 목표 범위가 넓기 때문에 컨디션이 좋지 않은 날이라 해도 그럭저럭 맞아 넘어가지만, 퍼팅은 목표 장소가 고정되어 있고 컵 인을 시켜야 하기 때문에 꼭 넣어야 된다는 스트레스를 받게 된다. 어젯밤 술 먹고 잠을 제대로 못 잔 뒤의 컨디션이 가장 잘 반영되는 것이 퍼팅이기도 하다.

어떤 때는 2~3시간 운전한 뒤의 빳빳한 손과 어깨 그리고 토요일 오후 사전 연습 없이 라운딩을 시작하는 경우 등 퍼팅은 의외로 많은 영향을 받는다.

따라서 사전 컨디션 조절이 무엇보다 중요하고, 연습 없이 그린에 올라왔을 때는 침착하고 차분히 그리고 롱 퍼팅의 경우는 컵 주위의 1m 이내를 목표로 퍼팅을 해 가면서 3퍼팅을 줄여가는 것이 상책이다.

1퍼트가 들어가는 확률보다 3퍼팅의 확률이 더 크기

때문에 버디 욕심을 버리고 2퍼트로 마무리하려는 침착성이
미스 샷을 방지하고 결과적으로는 스코어 향상에 기여한다고
할 수 있다.

E. 파냐 보기냐

버디(birdie)냐 파(par)냐 보기(bogey)냐? 누구나 골프 채를 잡고 코스에 나가 한 바퀴 돌 때는, 오늘은 멋진 플레이를 하여 버디를 몇 개, 아니면 파를 몇 개쯤 잡겠다고 속으로 은근히 다짐하면서 라운딩을 시작하는 게 보통이다.

물론 프로는 언더 파를 치기 위해서 버디나 이글(eagle)을 목표로 필사의 도전을 하겠지만, 아마추어 골퍼는 버디나 이 글은 고사하고 파만 잡아도 만족하게 된다.

그러나 문제는 대부분의 아마추어 골퍼가 라운드 중 잘 치다가도 한 두 곳에서 OB가 나거나 러프에 넣어 더블 보기는 물론 트리플 보기를 쳐서 의기소침하게 되면, 서너 홀은 눈 깜짝할 사이에 망쳐 버리는 게 보통이 아닌가? 아니, 아마추어뿐만 아니라 프로 골퍼들도 그 점에서는 마찬가지다.

그 유명한 유에스 오픈에서 1993년 선두를 달리던 길 모르간(Gil Morgan)이 3라운드 후반에 무너져 결국 톰 카이트(Tom Kite)에게 무참히 짓밟힌 것을 보면, 뭐라 말할 수 없는 씁쓸함을 느끼게 한다.

뿐인가, 1989년 브리티시 오픈에서 연장전에 들어간 칼카 베키아, 웨인 그래디, 그레그 노만 세 사람이 4홀 연장 각축전을 벌였을 때, 2홀까지 앞섰던 그레그 노만이 3~4홀 끝에 패배해서 보는 이로 하여금 얼마나 안쓰럽게 느끼게 했던가.

결국 프로든 아마추어든 누구나 잘 치려고 마음은 먹지만, 실제로는 버디가 보기가 되고 또는 더블 보기가 되는 것은 흔히 있는 일이다. 문제는 18홀을 도는 동안 어처구니없는 샷이 몇 번이나 되풀이되는가 하는 것이다. 그래서 골프는 될 수 있는 대로 실타를 줄이는 운동이라 하지 않았던가.

이와 같이 범타가 나오는 것은 기술뿐 아니라 심리적 요인도 크게 작용하기 때문이다. 아무리 좋은 샷을 날린다 해도 임팩트 순간의 아주 작은 오차가 200m 전방에서는 몇 m 또는 몇 십 m의 거리로 벌어지기 때문에, 인간의 능력으로는 어쩔 수 없는 범타를 한두 번 이상 내기 마련이다.

하물며 아마추어 골퍼들이랴. 평균 스코어 80대를 치는 아마추어 골퍼의 경우, 보기 플레이하면 90이 되고 파를 반타작하여 9개를 잡으면 81이 되고 70대가 되려면 11개 이상을 잡아야 된다.

70대를 치는 싱글 핸디캐퍼, 소위 싱글은 아마추어이면서도 골프장에서 또는 연습장에서 살다시피 하는 것이 보통이다. 따라서 일반 주말 골퍼는 귀재가 아닌 이상 매번 70대를 친다는 것은 사실상 불가능하다. 때문에 어떻게 해서든 80대를 쳐서 주말을 즐기려는 아마추어 골퍼는 최선을 다해 80대 그것도 80대 초반을 치는 것이 최선이 아닐까?

물론 70대를 치는 극성파도 있겠지만 그런 사람이 과연 아마추어 골퍼 중 몇 명이나 될까?

그렇기 때문에 라운드 도중 버디를 잡으면 이루 말할 수 없이 기쁘고, 어쩌다 이글이라도 나오면 그린 주변에 나무를 심는다, 친구에게 근사하게 한 턱을 낸다 하고 들뜨게 된다. 이를 보면 아마추어는 스코어만 문제가 되는 것이 아니고 한두 개의 멋진 샷과 퍼팅을 기억에 남도록 치고 싶은 욕망이 강하다고 볼 수 있다.

그래서 버디를 노리다가 보기가 되고 이글을 노리다 러프에 들어가게 되어 스코어는 쉽게 향상되지 않는 것이다.

철저히 스코어를 관리하는 프로와 멋진 샷을 내려는 욕심이 앞서는 아마추어, 그래서 애버리지 골퍼는 스코어도 기술도 향상되지 않고 항상 80대에서 맴돌고 있는 게 아닐까?

아프리카 최고봉에 자리 잡은 킬리만자로는 영화와 소설을 통해 우리에게 더 잘 알려져 있는 영봉(靈峰)이다. 그러나 그냥 가고 싶어도 길이 너무 험하고 불편하여, 다시 책을 꺼내어 본다.

누구나 등산 코스를 갈 수 있지만 정상에 오르기에는 산이 너무 높고 험하여, 중도에 머무는 사람이 많은 데, 그중에서도 홀로 외로이 정상을 올라가는 소위 '싱글' 골퍼의 길도 그 정점에 이르는 외로운 길과 같다.

누구나가 다 골프를 치면서 잘 치고 싶지만 골프란 다 잘 치는 것이 아니다. 등산과 마찬가지로 끊임없이 위험을 비켜가면서 올라가고 올라가야 소위 싱글 골퍼가 되는 것이다.

11. 킬리만자로의 눈

영화를 통해 우리에게 잘 알려진 아프리카의 최고봉.

인적이 드문 오지에 드높이 펼쳐진 영봉(靈峰).

가보고 싶지만 멀고도 험한 길.

다시 한번 엽서를 뒤적여 본다.

출발은 다 똑같지만 높고 험하여 중도에 주저 앉은 사람도 많다.

그 속에서 정상을 홀로 외로히 올라가는 사람, 싱글의 길은 고되고 외로운 길이다.

미지의 길에 헤치고 선두에 서서 새로운 길을 개척하듯이 누구나 가지 못하는 그 외로운 길을 소위 싱글은 걸어 간다.

그리고 그가 정상의 정복했을 때 사람들은 그를 "싱글"이라고 우러러 본다.

A. 골퍼의 조건

골프를 잘 치려면 일반적으로 3C, 즉 컨센트레이션 (concentration:정신집중), 컨트롤(control:통제) 그리고 컨피던스(confidence:자신)에 철저해야 된다고 한다.

클럽을 들고 볼을 스트로크하는 순간 모든 잡념을 버리고 오직 볼을 정확히 목표 지점으로 날려 보내겠다는 정신 집중력이 무엇보다도 중요하다.

그러나 이러한 정신 집중력은 스윙에 자신이 생기면서 그동안 축적된 기술과 경험에 의하여 반드시 목표 지점으로 볼을 날려 보낸다는 확신 없이는 우러나오지 않는다.

뿐만 아니라, 과욕을 부리지 않고 그 동안 갈고 닦은 기술을 발휘하여 클럽을 구사함으로써 비로소 가능한 것이다.

스트로크 순간은 불과 몇 초에 불과하다. 18홀을 도는 4~5시간 중 실제 스트로크에 소요되는 시간은 애버리지 골퍼의 경우 많아야 7~8분에 불과하다. 이 짧은 시간에 그 날의 스코어가 좌우된다. 그러나 7~8분의 스트로크를 뒷받침하기 위한 나머지 시간은 단순히 걷기만 하는 것이 아니다.

티잉 구역에 올라섰을 때 코스의 전반적인 상황 판단, 즉 방향, 언들레이션(undulation), 수풀, 풍향 등을 살펴 정확한 목표 지점의 선정과 볼의 탄도 예측은 스트로크 이전에 확정지어야 하며, 페어웨이에서도 거리 측정과 벙커 위치 그리고 러프, 마운드 등을 살피면서 호흡을 가다듬고 정확한 시계 판단(視界判斷)과 보폭 조절로 다음 샷을 위한 예비 동작에 끊임없이 정신을 쏟지 않으면 안 된다.

그러나 처음 나간 코스에서 플레이를 하는 경우, 생소함 때문에 한 두 타의 상황 판단 미스가 그 뒤 계속 졸타(拙打)로 연결되어 스코어를 망치는 경우는 흔히 있는 것으로, 냉철한 판단력과 자제력을 갖고 임해야만 한다.

그래서 게리 플레이어(Gary Player)는 골퍼의 3대 요건으로 기술 외에 정신력과 기초체력이 튼튼해야 된다고 강조했다.

골퍼들이 기술 연마를 위해서는 연습장을 찾고 꾸준히 연구를 통해서 정진하고 있음은 사실이나, 정신력과 기초체력 단련에는 특별히 관심을 쏟지 않는 경우가 많다.

그렇게 함으로써 기술이 향상되고 스코어가 좋아지면 보람을 느끼게 된다. 그리고 나이가 들수록 더욱 좋은 운동으로 정착하게 되면 골퍼로서의 긍지를 더 갖게 되지 않을까?

B. '싱글'이라는 사람들

골프장에 가면 어느 컨트리 클럽에나 들어서자마자 한편에 회원의 이름과 핸디캡이 적혀 있는 판이 있다.

그 중에서 유난히 눈에 띄는 것이 핸디캡 1~9까지의 소위 싱글 핸디캡(single-digit handicap) 플레이어들이다. 그 중 핸디캡 1, 2, 3인 사람은 극히 드물고, 있다 해도 한두 명 정도이며, 핸디캡 9 이내의 플레이어는 극히 제한되어 있어 10명 이내가 고작이다.

그리고 핸디캡 10, 12, 15, 18 등 소위 80대를 치는 플레이어들이 상당수를 차지하며 나머지 대부분은 핸디캡 19 이상의 칸에 이름도 찾아보기 힘들 정도로 빽빽이 채워져 있는 것이 보통이다. 회원으로서 그 명부에 없는 사람도 있다.

클럽에 따라 회원 수는 일정치 않으나 18홀당 1000명 정도를 기준으로 한다면 1% 정도, 1800명으로 봐도 0.6% 정도에 해당하는 사람이 소위 싱글 핸디캡퍼에 속한다고 할 수 있다.

100명당 한 사람 정도가 보통 70대를 친다고 보면 오히려 후하게 보는 수치가 된다. 그러나 우리는 친구들 간에 친목 시합에서 어떤 사람이 한 번 70대를 치면 그대로 '싱글'로 통하여 인심 좋게 후한 대접을 한다.

그렇더라도 100명 또는 180명 가운데 한 명 정도의 싱글이 되려면 쉽지 않으며 상당한 실력과 경력을 쌓아야만 올라갈 수 있는 자리라고 할 수 있다. 프로들도 시합 때 80대를 넘게 치는 사람도 꽤 있다.

비록 레귤러 티에서 티 샷 한다 해도 보통 70대를 치려면 드라이버 샷의 거리가 230야드는 넘어야 되는데, 실제로 그 이상을 날리는 골퍼는 그리 흔하지 않다.

뿐인가, 아이언으로 미들 코스에서 세컨드 샷으로 그린에 온 시키거나 에지에 온을 시켜 그 뒤 퍼터로 승부를 겨루는 플레이어가 아니고서는, 70대를 친다는 것은 주말 골퍼로서는 무리라고 할 수 있다.

따라서 이러한 싱글 핸디캐퍼들은 아무리 소질을 타고났다 해도 일시적으로는 골프에 미칠 정도로 열중하여 도를 터득한 도사라고나 할까?

돈과 시간 그리고 열성을 기울여 골프의 진수를 맛본 이들 골퍼를 제외한다면, 아마추어 골퍼의 태반은 80대를 넘나들어도 잘 치는 축에 들며, 90을 깨고 80대를 치게 될 때는 친구들에게 톡톡히 한잔 사도 좋을 것이다.

따라서 타고난 장타자나 상당한 연습을 해서 꽤 거리가 나가는 사람 빼고는, 평균적으로 아무리 레귤러 티에서 친다 해도 일반 아마추어 골퍼는 70대를 치기는 어렵고 80대에 만족해야 하지 않을까?

오히려 80대를 치더라도 깍듯한 매너와 에티켓 그리고 감각을 살려 모처럼의 기회를 주중 스트레스 해소의 수단으로 활용하는 것이 훨씬 좋을 것이다.

그렇다고 70대를 치지 말라는 것은 아니다. 끊임없이 기술을 연마하여 스코어를 하나라도 더 줄이려는 재미가 골퍼로서는 큰 만큼, 거리가 안 나가면 쇼트 게임의 향상이나 퍼팅의 연마로 얼마든지 스코어를 줄일 수 있는 만큼 자기 발전 노력을 게을리 하면 안 될 것이다.

그러나 70대를 어쩌다 한번 쳤다 해도 70대를 계속 유지한다는 것은 쉬운 일이 아니다. 골프를 업으로 삼지 않고 오락의 한 수단으로 소일하는 아마추어 골퍼가 70대를 평균적으로 유지한다는 것은 어렵다. 그러기 위해서는 골프장에 나가는 횟수나 기회를 늘리고 연습장에 나가 끊임없이 기량을 닦지 않으면 안 될 것이다.

과연 그만한 시간과 정력 그리고 여유가 있는 사람이 몇 사람이나 될까? 1% 아니 0.6%나 될까?

C. '싱글'로 가는 길

아마추어 골퍼의 최고는 물론 싱글이 되는 것이다. 아무리 흥미 위주로 친다 해도 골프는 기술이 향상되면서 스코어가 줄지 않으면 재미가 없다. 더구나 젊다면, 남들만큼 거리도 내면서 핀에 붙여가면서 스코어를 줄이는 재미로 골프를 치게 되는 것이지, 돈이 많고 여유가 있다 해도 스코어가 전혀 향상되지 않는다면 골프에 대한 흥미를 점차 잃게 된다.

그러나 대개의 경우 골프를 하게 되면, 시간이 흐르

고 필드에 나가는 횟수가 많아지면서 점차 요령도 생기게 되고 스코어도 줄어드는 게 상례여서, 한 번 잡은 골프채는 영영 놓지 못할 뿐만 아니라 이 책 저 책 뒤지고 비디오를 보면서 기술 향상에 노력하는 것이 일반적인 경향이다.

그러나 90을 깨고 80대를 치게 되는 애버리지 골퍼가 어떤 때는 다시 90대를 치면서 90의 관문을 오락가락하는 것이 아마추어 골퍼의 태반이다. 85를 깨고 이어 80을 깨 가면서 정상적으로 70대를 친다는 것은 나이 들어 시작한 중년 골퍼에겐 요원하게 보이기도 한다. 30세에 시작하면 15, 40세에 시작하면 20의 핸디까지 칠 수 있다는 말도 우연히 나온 말은 아닐 것이다.

그러나 아무리 중년에 시작한 골퍼라 하더라도 이전에 다른 운동으로 몸을 굳건히 다졌다면 문제는 달라진다. 대개 직장인이 테니스나 야구 또는 당구 등 직장 스포츠를 취미로 꾸준히 했거나 또는 스포츠 선수로 있다가 은퇴하여 골프를 치는 사람은 운동 감각이 뛰어나 급속히 기술이 발전하면서 스코어가 향상되는 게 보통이다.

그러나 골프 특유의 특성으로 말미암아 이들도 비록 장타를 날린다 해도 90을 깨고 80대 중반을 거쳐 70대를 친다는 것은 그리 쉬운 일이 아니다. 모처럼 한번 78~79를 쳤다가도 다시 80을 넘어 다시 연습장으로 직행하게 되는 것이 아마추어 골퍼의 습성이다.

사실 골프를 생활화하고 골프로 생계를 유지해야 되는 프로 골퍼도 잘 안 맞을 때는 80을 넘게 치는 경우가 얼마든지 있다. 하물며 아마추어들이야.

그럼에도 불구하고 친구 중에 잘 치는 사람이 있거나 골프에 빠져 잘하면 싱글이 될 것 같은 감이 드는 열성파는 어떻게 해서든 70대를 쳐 보려고 온갖 노력을 하게 된다.

더구나 친선 골프대회에 나가 우승 또는 준우승이라도 하게 되면, 다음엔 메달리스트를 목표로 기술을 닦기 위하여 골프에 관한 서적과 비디오를 뒤적이며 장타나 어프로치 그리고 퍼팅 비법을 찾으려고 안간힘을 쓴다.

따라서 싱글로 가는 길은 고되고도 고독한 길이다. 전체 골퍼의 1~2%도 안 되는 싱글에 들기 위해서는 강인한 정신력과 꾸준한 체력 단련, 기술 연마를 끊임없이 해야 한다. 더구나 꾸준히 70대를 지킨다는 것은 거의 프로와 맞먹는 훈련 과정을 거치지 않고는 어렵다.

따라서 틈틈이 짬을 내 여가를 즐기는 아마추어 골퍼가 싱글로 가려면 직업과 프로 골퍼 중 하나의 선택을 강요받을 수도 있다. 싱글로 가는 길은 외롭고 험난한 길이다. 그리고 언젠가는 내려와야 할 정상에의 길이다.

D. 골프와 승부의 세계

어떠한 스포츠를 막론하고 거기에는 승부가 뒤따르게 마련이다. 승자는 환희의 기쁨을 맛보고 패자는 쓰라림과 아쉬움을 금치 못하고 재기의 다짐을 하게 된다.

모든 스포츠에서 영원한 승자는 없는 것이어서, 승자도 각고의 노력과 뼈를 깎는 훈련 없이는 다음 승부에서 지난번의 패자에게 밀려나기도 한다. 그리고 재도전에 성공한 새로운 승자는 주먹을 불끈 쥐고 새로운 왕자의 기쁨을 만끽한다.

골프의 세계도 마찬가지다. 해마다 벌어지는 메이저 대회에서 새로운 챔피언이 탄생되고 어제의 승자는 무릎을 꿇어 주역이 바뀌게 된다.

한때 세계를 주름잡던 잭 니클라우스, 그레그 노만, 닉 팔도, 닉 프라이스, 프레드 커플스, 데이비스 러브 3세 등 새로운 강자가 나타남으로써 퇴색하고, 최근에 와서는 이들도 새로운 루키(rookie)들에 의하여 대체되어 가고 있지 않는가 말이다. 바야흐로 춘추 전국시대가 전개돼 가고 있는 느낌이며, 앞으로 천하통일을 누가 하게 될는지 관심이 집중되고 있다.

프로의 세계에서 벌어지는 치열한 각축전을 보는 관중들도 자기가 좋아하는 선수들이 우승하거나 지는 것을 보면서 일희일비하게 된다.

프로에 비하여 아마추어 골퍼에게는 그와 같이 치열한 승부의 세계는 없다. 그러나 아마추어는 아마추어대로 자기와의 싸움을 벌이면서 자기 자신에게 도전하고 스코어에 도전하면서 내면적 승부의 쾌감을 맛본다. 그리고 동우회나 동창회, 직장대회에서 자기 실력을 발휘하여 때로는 우승 트로피를 타고 때로는 장타상, 니어리스트상, 행운상을 타면서 하루 일과를 마친다.

프로 골프의 승부 세계는 냉정한 데 비하여, 아마추어 골프 세계는 환희와 릴렉스, 화제와 풍문, 스테이터스와 교제로 사교적 분위기를 북돋운다.

프로 골퍼가 골프를 생업의 수단으로 삼고 승패가 바로 생사의 척도가 되는 데 반하여, 아마추어 골퍼는 별도의 생업 수단을 갖고 있고 여가를 즐기려고 여러 가지 레저 스포츠 가운데 골프를 택함으로써, 프로와 같은 처절한 승패에 집착하기보다는 골프를 통한 사교적 여가 선용에 더 비중을 두게 된다.

그러나 골프는 승부 게임이라 어느 정도 실력이 붙게 되면 자기 실력을 테스트하기 위해서 소속 클럽의 클럽 챔피언 대회에 나가기도 하고, 아마추어 챔피언 대회에도 참가하기도 하여 자기 기량을 십분 발휘해 보기도 한다.

특히 아직 생업을 갖지 않은 젊은 주니어 골퍼가 앞으로 프로로 진출을 모색하기 위해서 각종 시합에 도전하는 경우가 많아, 이런 경우는 우리 같은 애버리지 골퍼와는 거리가 멀다.

그리고 승부의 짜릿함을 맛보기 위하여, 사람에 따라서는 돈을 걸고 배팅하는 사람도 있어 사회적 물의를 일으키기도 한다.

모든 게임과 스포츠는 일정한 룰이 있어서 이를 벗어날 때는 이미 게임과 스포츠로서의 성격을 잃게 되어 지탄의 대상이 됨은 물론이거니와, 골프의 순수성을 지키기 위해서도 이러한 행위는 자제해야 한다.

따라서 건전한 스포츠로서의 골프를 육성하고 게임으로써의 흥미를 북돋우기 위해서는, 각자 골프 룰에 충실하고 기술을 향상시켜 자기 발전 기회로 삼는 것이 무엇보다도 중요하다.

E. 시니어 골퍼의 희열

만 50세 이상의 시니어 골퍼(senior golfer)는 일반 레귤러 골퍼에 비하여 체력도 떨어지고 시력도 나빠질 뿐만 아니라 가끔 병마에도 시달려, 여러 가지 핸디캡을 안고 골프를 쳐야 한다.

미국에서도 정규 투어에서 활약하다가 만 50세가 되면 별도의 시니어 투어에 참가하여 또 다른 재미를 보고 있다.

미국 시니어 투어는 3라운드 플레이로 한 라운드를 줄여 우승을 판가름하며, 정규 투어보다는 분위기도 부드럽고 참가자들의 얼굴도 크게 바뀌지 않는다.

당초 아놀드 파마(Arnold Palmer)를 중심으로 급성장하게 된 시니어 투어는 한 때는 바브 찰스(Bob Charles), 리 트레비노(Lee Trevino), 짐 콜버트(Jim Colbert), 잭 니클라우스(Jack Nicklaus), 치치 로드리게즈(Chi Chi Rodriguez) 등 왕년의 챔피언들과 레이몬드 프로이드(Raymond Floyd), 해일 어윈(Hale Irwin) 등 새로이 참가한 챔피언들이 어우러져 승리와 화합의 한마당을 이루고 있었다.

사람이 나이가 들면 어쩔 수 없는 것, 젊었을 때 비하여 신체적으로는 체력이 떨어질 뿐만 아니라 시력도 쇠약해져 골프에 필요한 기본 조건이 흔들리게 된다.

그러나 자녀 교육의 부담에서 벗어나고 사회적으로도

어느 정도 자리를 잡아 재력과 시간적 여유가 생겨, 오히려 이때부터 본격적으로 골프를 치면서 여가를 즐길 수 있는 연령에 들어간다.

우리나라에서는 골프가 보급되기 시작한 것이 일천 (日淺)하고 과거에는 살기가 어려웠기 때문에 일찍부터 시작한 나이 많은 층에 속하는 골퍼는 극소수에 불과하고, 아마추어 골퍼 대부분은 그 이하의 젊은 층에 속한다고 볼 수 있다.

그러나 골프가 평생 동안 즐길 수 있는 운동이기 때문에, 일단 발을 들여 놓으면 누구나 조만간 시니어 골퍼가 된다. 그리고 젊은 사람에 비하여 비록 거리는 떨어지나 노련한 게임과 안정된 스윙으로 필드를 누비게 된다.

특히 근거리 어프로치 샷과 그린 주변의 쇼트 게임 그리고 그린 위에서의 퍼트 처리 등에서는 발군의 실력을 발휘함으로써 골프의 진수를 맛보게 된다.

아마추어 골퍼로서는 이때가 여유 있게 골프를 즐길 수 있는 황금기이며, 최근엔 느지막한 나이에 새로이 골프에 취미를 붙여 골프채를 잡는 사람도 있다.

그러나 어언 60대에 들어서면 체력도 급격히 떨어지고 친구 가운데 세상을 하직한 사람도 있어, 골프를 계속하는 사람의 수는 줄어들고 있는 것이 우리나라 현실이며, 젊은 층에 밀려 그 존재는 점차 희미해지고 있다.

외국에서는 철저한 사회보장제도의 발달과 저렴한 가격으로 오히려 시니어들이 골프장을 압도하고 있는 것에 비하면. 작은 땅덩어리와 최근 급격히 생활이 향상되어 골프 인구가 급증하고 있는 우리나라의 실정을 감안할 때 젊은 층 인구

다수가 골프장을 점령하고 있는 것은 이해가 간다.

그들도 조만간 시니어 골퍼가 되어 부모의 뒤를 따를 때는 우리나라 시니어 골퍼 수준은 크게 향상될 것이며, 나이가 60대를 거쳐 70대에 들어서면 자기 나이보다 적은 스코어를 내는 에이지 슛터(age shooter)가 생기게 되며, 건강과 기술을 과시하는 골프 인생의 절정에 도달하여 새 삶의 희열을 맛보게 될 것이다.

그리고 새로운 후진과 자녀들을 지도하면서 우리나라에서도 세계를 지배하는 골퍼가 나오기를 기대하며, 또 새로운 골프 인생을 걸어가게 된다.

12. 세인트 앤드루스의 법정신
- 매너와 에티케트-

골프의 발상지, 가장 오래 되고 전통을 자랑하는 곳, 스코틀랜드의 세인트 앤드루스. 1754년에 이곳에서 창설된 골프클럽 R&A. 그곳에서 만들어진 법은 그래서 세계 각국 어디에서나 지켜야 되는 골프의 국제법이 되었다.

가장 오래 되고 가장 많은 사람이 준수하는 자율법이며. 동으로 가나, 서로 가나, 남으로 가나, 북으로 가나 다 똑같은 34조의 법률이었다.

그 후 세상이 바뀌어지면서 골프룰도 변화를 거듭하여 미국의 골프협회 USGA가 1894년 이에 가담 합류하여, 이제는 이 두 곳 즉 S&A와 USGA가 합심 협력하여 골프룰을 현대화하는 데 힘을 쏟고 있다. 그 후 2세기 반이 경과되면서 골프는 번창하고 룰은 간소화되어 모든 사람을 받아들이고 이들에게 똑 같이 대하여 앞으로도 더 현대화되고 발전할 것이 기대되고 있다.

이제 21세기. 거의 전 세계의 각국 사람들이 골프를 치게 되자, 가지각색의 인종이 이에 합류하여 바야흐로 세계의 평화의 상징이 이 곳에서 꽃피어 가고 있다고 말할 수 있다.

그래서 그것은 영원한 만국법이 되어 이제 한번쯤은

읽어 보고 필드에 나가 남들처럼 신사숙녀가 되고 싶은 것.

　　육법전서는 읽지 않았어도 이것만은 읽고 실행하여
영국과 미국은 물론 태국에 갈 때도, 뉴질랜드에 갈 때도 유
용하게 써 먹을 수 있는 것. 그렇게도 편하고 그렇게도 오묘
한 것을 미처 몰랐었다.

A. 골프 규칙은 알고 쳐야

다음은 1996년 봄 한국여자골프협회가 프로 지망생을 대상으로 골프 규칙 시험을 치른 문제의 일부 내용이다.

1. 벙커 내의 볼 옆에 있는 솔방울은 치울 수 있는가? 담배꽁초가 있다면 어떨까?

2. OB 선에 걸린 볼은 OB의 볼인가, 아닌가?

3. 벙커 언덕에 있는 고무래에 볼이 걸려 있을 때 고무래를 치우다 볼이 움직이면 어떻게 할 것인가?

4. 태잉 그라운드 이외의 곳에서 어드레스를 한 후 치지 않았는데 볼이 움직였을 때는 어떻게 할 것인가?

5. 스루더 그린에서 볼이 담배꽁초 위에 멎었을 때 담배꽁초를 치우고 칠 수 있을까?

과연 우리 아마추어 골퍼의 몇 %가 이러한 실전 골프규칙을 알고 플레이를 하고 있을까? 물론 앞 홀에서 잘 친 사람이 오너를 잡고 선행 순서로 친다든가, 그린에서는 그린의 홀컵에서 먼 사람부터 친다든가, 잘못 친 볼은 당시 5분 안에 찾아서 쳐야 한다던가 하는 기초적 룰은 알고 있었겠지만, 제1장 에티켓으로 시작되는 골프 규칙 전문과 부칙을 습득하고 골프를 치는 아마추어 골퍼는 몇 명이나 될까?

사실 아마추어 골퍼의 대부분은 골프 규칙의 상세한 내용을 잘 모르고도 단편적으로 친구들에게서 들은 규칙의 일부만 알고 필드에 나가 골프를 즐기고 있는 것이 현실이 아닐까?

그러나 클럽 챔피언을 뽑는다거나 프로와 아마추어 (Pro-Am) 대회에 출전하는 경우, 규칙을 모르고 출전했다가 창피를 당하는 일은 없을까?

골프가 급속히 대중화되어 가면서 그린에서 다른 사람의 퍼트라인 선상을 태연히 짓밟는다거나, 퍼트를 하려는데 라인 반대편에서 비켜 주지 않고 움직인다든지, 또는 떠든다든지 하는 매너에 어긋나는 일들은 흔히 볼 수 있는 일이다.

모든 게임이 룰 없이는 성립될 수 없고 그 중에서도 골프는 자기 관리를 하는 게임이기 때문에, 프로도 성적카드에 서명을 하지 않아 실격을 당한다거나 상대방에게 분명한 의사전달을 하지 않고 잠정구를 치는 등 불상사가 있었다는 보도는 과거에 그 동안 여러 번 있었다.

또 벙커 안에 있는 솔방울은 자연 장애물이니까 치울 수 없고 담배꽁초는 인공 장애물이니까 치울 수 있다면, 모래에 섞여 있는 돌덩이는 치울 수 있는 것인가, 없는 것인가?

1996년 88CC에서 열린 여자 로즈오픈대회에서 상금랭킹 1위 캐리 웹(Carrie Webb)이 16번 홀에서 돌멩이를 치워도 되느냐고 제기한 질문에 대한 판정은 잘된 것일까, 잘못된 것일까?

골프 규칙을 실전에 적용할 땐 수많은 상황과 경우

에 따라서 엄격히 적용하기가 그리 쉬운 것만은 아니었다.

그러나 골프 규칙은 패널티를 부과하기 위해서만 있는 것은 아니다. 두더지 구멍에 들어간 볼은 1클럽 이내에 드롭 하여 칠 수 있다든지, 비오는 날 생긴 물웅덩이나 겨울의 눈과 얼음 등 캐주얼 워터(casual water)에서는 1클럽 길이 이내에 드롭 한다든지, 나무의 버팀목이 방해가 될 때도 1클럽 길이 이내에 드롭해서 칠 수 있다는 등 오히려 플레이를 유리하게 이끌어 갈 수 있는 경우도 있다. 따라서 골프 규칙을 알고 치면 그만큼 유리하게 플레이를 할 수 있는 것이다.

거의 세계적으로 공통된 골프 룰(Rules of Golf)은 골프 게임의 기준이 돼 왔고, 규칙을 지키지 않고는 게임이 성립되지 않는 이상, 최소한의 룰은 알고 실전에 임하는 것이 도리일 것이다. 골프가 일종의 도에 가까운 정신과 기술을 필요로 하는 운동이기 때문에 서로 지켜야 될 룰을 알고 플레이하면 그 만큼 묘미를 더하게 되고 자기 수련의 방편이 되기도 하여 흥미를 더욱 돋우게 된다. 더구나 최근에 이르러 2019년에 이어 2023년에 골프 룰을 크게 완화시켜 시대에 맞게 개혁함으로써 일반인도 골프를 쉽게 접근하게 하였다. 자, 최근에 개정된 골프 규칙을 한 번 읽어 볼까.

골프의 스코어는 스트로크 수에 따라 결정되긴 하지만 꼭 스트로크 수에 의해서만 결정되는 것은 아니다. 골프 규칙에는 매너와 에티켓에 어긋나는 여러 가지 경우에 대비하여 엄격한 벌점을 매기고 있어서, 고의로 중대한 반칙을 하는 등 매너가 나쁜 경우에는 경기 실격이라는 중벌을 주고 있었다.

즉 최근 룰이 개정되기 전에는 스코어 속이기, 오구의 계속 플레이, 볼을 고의로 움직이는 것, 스코어 카드의 오기 및 사인 안한 것은 경기 실격이란 중벌을 내리고 있었으며, 이보다 한 단계 낮은 규칙 위반에는 2벌타를, 그리고 불운과 미숙에 기인한 OB, 분실구 등은 1벌타를 가하고 있었다.

다시 말하면, 스트로크 수뿐만 아니라 플레이어의 인격과 정신적인 면도 중시하여, 그것이 타인에게 불쾌감을 주거나 플레이를 방해하게 되었을 때는 벌점을 가하여 스코어를 계산함으로써 엄격한 신사도를 요구하고 있는 것이다.

최근 우리나라에서 골프의 대중화가 급속히 진행되어 골프가 확산되면서 골프의 도의가 일부 무너지고 저속화되는 등 골프 규칙의 준수가 해이해져 말썽을 빚는 경우가 많았다.

사실 골프 규칙의 세세한 부분까지 아마추어 골퍼가 알고 지키기엔 규칙이 복잡한 데가 있고. 이것을 일일이 알기에는 시간이 필요할 뿐만 아니라, 애버리지 골퍼에겐 엄격한 규칙 적용이 도리어 오락적 요소를 감소시키게 된다고 하여 시합이 아닌 경우엔 멀리건 (Mulligan)이나 소위 기브 등 편리한대로 진행하는 경우가 있었다.

그러나 기본적으로는 매너와 에티켓을 대전제로 한 일정한 룰에 의해서 진행되어야만 진정한 골프의 진수(眞髓)를 느낄 수 있는 만큼, 골프의 기본 정신에 크게 벗어나지 않는 플레이를 함으로써 플레이어 상호간에 선의의 경쟁을 하는 것이 골프의 즐거움을 더하는 것이 아닐까?

그럼에도 불구하고 아마추어 골퍼는 물론 프로 지망생과 프로 골퍼 중에서도 골프 규칙에 숙달되지 못하여 문제가 생기는 경우가 있었으니, 앞으로 골프 수준의 질적 향상을 위해서는 골프 규칙의 계몽을 통하여 준수를 스스로 다짐해 나갈 수 있도록 분위기를 확산시켜야 할 필요가 있었다.

골프가 국제적으로 널리 보급된 스포츠인 만큼, 특히 외국에 나가서 외국 사람과 사교 골프를 칠 때는 스코어보다도 매너와 에티켓이 더 절실히 요구된다고 할 수 있다.

이러한 여러 점을 감안하여 S&A와 USGA도 합심하여 2019년부터 골프의 현대화와 편의화를 위하여 골프 룰을 크게 손질하였다.

18홀을 도는 동안 상대 골퍼의 사람 됨됨이와 성격을 알 수 있거니와, 한편 자기 자신의 인격과 성품도 상대방에게 일일이 노출시키는 것이 골프이다.

더구나 최근 국제무대에 진출하는 한국인이 급증하는 만큼 매너와 에티켓 준수는 그 사람 개인만의 문제가 아니라 우리나라 전체 골퍼들의 매너 문제로 비약할 수도 있어, 우리 모두가 자성(自省)해야 될 문제이다.

그런 의미에서 우리는 시간이 허락하는 대로 골프에 관한 규칙을 알아서 사회적 도의와 문화에 적응하면서 골프를 즐기는 것이 일반인의 중요한 의무라는 것을 잊지 말기를 바란다.

B. 그린 위에서의 에티켓

골프같이 매너와 에티켓을 요구하는 운동도 드물 것이다. 티잉 구역에서의 에티켓은 물론 홀 아웃(hole out)할 때까지의 갖가지 요구 사항은 언뜻 보면 그저 신사적 행동으로 요구되는 것 같지만, 그렇게 하지 않으면 플레이와 스코어에 직접 또는 간접으로 큰 영향을 미치게 된다.

그 중에서도 가장 철저히 에티켓이 요구되고 지켜져야 되는 것은 퍼팅 그린 위에서의 매너와 에티켓이라고 할 수 있다.

대개 그린에 올라올 때까지는 거리를 중심으로 한 스윙 동작이 주가 되어 모든 행동이 이루어졌으나, 그린 위에 올라서면 모두 한 목표를 앞에 놓고 기(技)를 겨루는 무대에 선 투사(鬪士)나 다를 바 없다.

따라서 동반 경기자의 집중 조명 가운데 최후의 일격을 가하는 그린 위의 퍼팅은 투우사의 일격과도 비견되고, 궁수가 화살 시위를 당기는 것 같은 정신 집중을 필요로 한다.

이러한 정신의 초긴장 속에서 이루어지는 퍼팅을 순조롭게 하기 위하여, 퍼팅시 잡담을 금함은 물론 퍼팅하는 골퍼의 시야에 들어오는 모든 물체 움직임도 금하고 있는 것이 골프 규칙 제1장 에티켓에서 규정하고 있는 예의이다.

홀에 컵인(cup in)시키려는 동작은 티 샷이나 벙커 샷 또는 페어웨이 샷보다 훨씬 더 많은 신경 긴장과 정신 집중을 필요로 한다. 그래서 노년에 이르러 그린 위에서 넘어지는 골퍼도 있다고 하지 않는가.

이러한 에티켓이 요구됨에도 불구하고 현실적으로는 사람에 따라서 퍼팅 전후를 통하여 가끔 잡담이 오가고, 스파이크 자국이 만들어지고, 라인 선상을 횡단하는 일들이 생기고 있는 것이 아마추어 골퍼의 문제점이다.

말은 하지 않아도 선상을 가로지르거나 퍼팅을 하려는 곳에서 사람들이 움직이면 퍼터의 집중력은 흐트러져 볼은 컵을 빗나가 오버하거나 옆으로 빠져 나가는 것이 상례이다.

한두 점을 다투는 로우 핸디캐퍼 일수록 이런 때의 실수는 결정적이어서, 그 다음 샷을 망치거나 벌어 놓은 스코어를 까먹는 일은 한두 번이 아닐 것이다.

이런 때에는 퍼팅을 감행하지 말고 몸을 완전히 한 바퀴 돌리면서 숨을 가다듬은 다음 다시 퍼팅 자세로 들어갈 것을 전문가들은 권하고 있다.

퍼팅에서 가장 큰 실수를 하게 되는 원인은 그린 상태를 정확히 읽지 못하고 정신을 집중하지 못하여 퍼팅감을 살리지 못하는 데서 비롯된다. 그렇기 때문에 감정을 차분히 하고 마음을 가라앉혀서 조용한 호수에 볼을 집어넣는 심정으로 퍼팅을 해야만 한다.

바둑도 한 수의 실착에서 무너지듯 골프도 그린 위의 한 타의 실수로 계속 다음 홀까지도 영향을 미쳐 잘 나가던 플레이를 망치는 수가 있으니, 정말 골프란 알다가도 모를 일이다.

C. 터치 플레이

볼은 특별한 경우를 제외하고는 있는 그대로의 상태에서 플레이를 해야 한다. 따라서 볼을 라이가 좋은 곳으로 움직여 치는 소위 터치 플레이 (touch play)는 위법이며, 벌점을 부가(附加)하게 되는 것이 원칙이다.

프로들이 시합을 할 경우엔 이 규칙을 적용받아 절대로 터치 플레이를 해서는 안 되지만, 우리나라 아마추어 골퍼의 터치 플레이는 거의 유행이 되다시피 되었다

이에는 몇 가지 이유가 있는 것 같다. 우리나라와 같이 춘하추동 계절의 변동이 뚜렷하여 골프장 잔디 관리가 어려운 상황에선 잔디가 고르지 못하여 그대로 치기 어려운 경우가 있는가 하면, 겨울에는 티 플레이를 해야 된다는 로컬 룰(local rules)이 있는 등 우리나라의 특수성을 고려할 때 일률적으로 터치 플레이를 나무랄 수만도 없는 현실이다.

그러나 로컬 룰에서 공인한 불가피한 경우를 제외하고는, 요사이 신설 골프장같이 잔디 관리도 잘 되고 날씨도 화창한 날 무조건 터치 플레이를 하는 버릇은 재고해야 할 필요가 있다.

한때 접대 골프가 유행하고 또 요즈음은 룰에 생소한 초보자들이 많아지면서 번지기 시작한 터치 플레이는, 실상 골프를 스포츠로 즐기려는 일반 플레이어에게는 마(魔)의 유혹이 아닐 수 없다.

그러나 그것은 마치 러프에 들어간 볼을 집어 옮기거나 벙커에 빠진 볼을 들고 나와서 치는 것과 같아, 처음부터 게임이 되지 않는 것이다.

'있는 그대로' 어떻게 보면 운명처럼 주어진 상황을 극복하여 과감히 도전하는 골프의 순수한 묘미를 스스로 저버리고 안이한 결과만 추구하려는 심정의 발로라고 할 수 있다.

한때 아예 페어웨이에서 잔디를 비틀어 잠정 티를 만들어 치는 염치없는 무법자도 있었으나, 그것은 골프를 모독하는 무지한 행동이라 할 수 있다.

더구나 앞으로 골프를 통해서 심신을 단련하고 스포츠로 즐기려는 애버리지 골퍼에겐, 터치 플레이는 골프 기술의 향상을 가로막는 자기기만(自己欺瞞) 행위라고 할 수 있다.

볼은 라이(lie)의 상태에 따라서 타법(打法)도 달리해야 하며 비거리와 탄도가 달라진다. 따라서 그에 맞는 타법을 궁리하는 과정에 새로운 기술을 터득하여 스코어 향상에 기여하거늘, 터치 플레이는 스스로 그런 기회를 박탈하고 그때그때의 위기만 탈피하려는 도피 심리를 심어 줘 성격 형성에도 나쁜 영향을 미친다.

근래 많은 사람들이 외국에 나가서 외국 사람들과도 플레이하는 경우가 많아졌지만, 이때 문제가 되는 것이 바로 이 터치플레이이다. 룰을 어기는 행동을 서슴지 않는 우리 플레이어들이 한번 크게 반성해 볼 때가 됐다고 본다.

어느 직장에서 골프 붐이 불어 서로 잘 친다고 뽐내

는 나머지 엄격하게 룰을 적용하여 노 터치(no touch) 노 기브(no give)로 플레이한 결과 100을 깬 사람이 한 사람, 그것도 98이었다니, 우리가 갖고 있는 핸디의 태반이 얼마나 정확하지 못한가를 알 수 있다.

　　따라서 엄격히 노 터치 플레이 (no touch play)를 스스로 엄수하여 기술을 개발하고 아울러 심신을 단련하는 것 또한 즐거움이 아니겠는가?

13. 골프룰의 현대화와 그 개정과정

골프 룰의 기원과 역사를 보면 당초에 유사한 운동경기가 서너 국가에 존재했었으나 지금의 골프는 영국의 북부에 있는 세인트 앤드로스에서 발생 보급된 것이 기원이 되었다.

그 후 이것이 점차 발전하면서 골프의 발생지가 되자 왕이 이를 인허하여 오늘 날의 세인트 앤드루스 룰의 기원이 되어 각국에 퍼져 나갔다.

더구나 드넓은 미국이 영국의 지배를 벗어나 독자적으로 USGA 를 설립하여 영국의 S&A와 협력하여 골프룰의 개선과 발전을 도모하자, 미국은 오늘날 세계의 골프 중심지가 되었고, 이를 현대화하여 사실상 세계를 지배하고 있다.

A. 골프 룰의 기원과 역사

골프 룰 즉 규칙의 지난 역사를 간략히 살펴보면 5단계로 나눌 수 있다. 즉

1744년-1899년 골프 정착기간으로서 13개조 골프규칙 첫 제정이 이루어졌으며.

1894년   USGA가 창립되었다.

1899년-1934년 규칙의 제정과 해석의 기간으로서 재정립된 규칙집이 발간되었고,

1934년-1952년 통일된 골프규칙의 필요성을 인식하고, R&A 와 USGA 는 골프규칙을 제정하여 적용해왔다.

이어 1952년-1984년에 계속 통일성을 추구하여 1952년 첫 통일된 규칙을 채택하여 새로운 시대를 열었다. 그 동안의 골프 규칙의 변화를 보면 정의(定意), 명확성(明確性), 수정(修正)의 지속적 필요성을 보여주었다.

같은 기본적인 고려가 현재의 규칙 현대화 발의의 중심에 있으며 변화를 주도하고 있다고 할 수 있다. 목표는 현재 전 세계적으로 플레이 되는 게임의 요구를 충족하면서 최신의 규칙을 만드는 규칙개정의 과정이라고 말할 수 있었다.

앞으로 골프는 계속 새로운 곳으로 팽창할 것이며 새로운 골퍼들도 늘어 날 것이고, 도전적인 새로운 기술의 출현으로 변함없이 전진하는 게임은 주의와 사려 깊은 조치를 요구할 것이기 때문에 R&A 와 USGA는 지속적으로 이 모든 숙제들에 대해서 리더십과 지도를 계속해 나갈 것이라고 했다.

USGA 는 큰 변화라고 간주되는 7가지를 요약하여 발표하였다. 기존에 만들어진 규칙의 몇 가지 변화를 포함하여 규칙의 숫자는 34개에서 24 개로 축소되었다.

"움직인 볼" 에 관련된 벌타(罰打)의 완화와 제거를 위하여, 퍼팅 그린 위에서 볼이 우연히 움직여진 것과 또는 볼 수색 중에 움직여진 볼에 대해서는 더 이상 벌이 없게 되었다. 그리고 플레이어는 본인이 볼을 움직였다는 것이 "사실상 확실" 한 경우 이외에는 움직인 볼에 대해서 책임이 없게 되었다.

1) 퍼팅 그린 규칙의 완화

한 홀의 퍼팅 그린에서 시중들고 있지 않은 깃대를 향하여 플레이 하여 깃대를 맞추어도 벌이 없어졌다. 플레이어는 깃대를 빼지 않거나 시중들고 있지 않은 상태에서 퍼트 하여도 된다는 이야기이다. 플레이어는 스파이크 자국이나 골프화가 만든 그린의 어떤 손상, 동물이 만들었거나, 또는 다른 퍼팅 그린의 손상도 수리할 수 있게 되었다.

그리고 퍼팅라인을 건드려도 벌이 없게 되었다. 퍼팅 그린 위에서 마크하고 집어 올렸다가 리플레이스한 볼은 그 볼이 움직였어도 다시 제자리에 원위치하고 플레이 하면 된다.

2) "벌타지역"의 완화

지금까지는 워터해저드라고 불렸던 벌타지역(penalty area)에서 앞으로는 물이 있는 지역뿐만 아니라 적색 또는 황색 벌타지역은 사막, 깊은 숲, 화산석(火山石) 지역 까지도 포함할 수 있게 되었다. 평행 구제가 가능한 적색 벌타지역(罰打地域)을 확대 사용할 수 있게 되었으며, 벌타지역 안에서 루스 임페디먼트(Loose Impediment)를 움직이거나 건드려도 벌이 없으며, 벌타 지역 안의 땅이나 물을 건드려도 벌이 없다. 적색 벌타지역에 들어 간 볼의 구제 옵션 중 건너 편 대안의 지점에 드롭 하는 옵션은 더 이상 없게 되었다.

3) 벙커 규칙의 완화

벙커 안에 있는 루스 임페디먼트를 움직여도 벌이 없으며 손이나 클럽으로 모래를 일반적으로 건드려도 벌이 없게 되었다. 몇 가지 제한되는 것 (예를 들면 볼 바로 옆의 지면에 클럽을 대는 행위) 은 모래에서 플레이하는 것에 도전해야 하는 것이기에 유지하기로 하였다. 벙커 안에서 언플레이어블 볼을 선언했을 때 2 스트로크의 벌을 부과하고 벙커 밖에서 플레이 할 수 있는 옵션을 추가하였다.

그러나 완화 되었다하여도 벙커의 모래를 건드릴 수 없는 경우는 다음과 같다. 벙커의 상태를 테스트하거나, 클럽을 볼 앞 또는 뒤에 대는 행위, 연습 스윙을 할 때 또는 백스윙을 할 때 모래를 건드리는 행위는 허용되지 않는다.

플레이어의 진실성을 신뢰하여, 장소, 라인, 지역 또는 거리를 재거나 측정할 때 비록 차후에 비디오 판독을 하여 잘못된 결정이었다고 밝혀지더라도 플레이어의 "합리적인 판단" 을 지지하기로 하였다. 볼을 자신의 볼인지 확인하기 위하여 또는 손상 여부를 확인하기 위하여 집어 올릴 때에 동반 경기자에게 사전 고지하지 않아도 되게 되었다. 본 개정안은 모든 플레이어에게 매우 높은 수준의 행동지침을 주는 것이라고 말할 수 있다.

플레이 속도 지지. 분실구 찾는 시간을 5분에서 3분으로 단축하며. 스트로크 경기에서 준비된 사람이 먼저 플레이하는 "Ready Golf" 를 긍정적으로 권장하고, 플레이어는 한 스트로크를 하기 위하여 40초 이상 사용하지 않으며, 플레이 속도를 올리기 위하여 다른 조치를 취하기를 권장했다.

구제 받는 절차의 간소화를 위하여 볼을 드롭하여 인 플레이 시키고 또 특정의 구제 장소에서 플레이하는 새로운 구제 절차를 마련하여, 지면, 어떤 성장하는 것 또는 지면의 다른 물체 바로 위에서 드롭하는 것을 허용하여 완화된 드롭 절차를 마련하였다.

볼을 드롭할 때 드롭하는 볼의 위치는 최소 1인치 정도로 거의 지면에 놓는 정도로 낮은 높이에서 드롭할 수 있다.

이외에도 위원회는 각 홀의 최대 스코어를 정하여 실행할 수 있으며, 정해진 스코어 보다 많은 타수를 기록하게 되면 그 홀은 더 이상 플레이할 수 없고 다음 홀로 이동해야 한다고 했다.

이상과 같이 USGA 는 요약하여 발표 하였지만, 위의 내용을 조금 더 이해하기 위해서는 가장 중요한 것 중 하나인 용어의 정의를 이해하는 것이 필요하다. 삭제되는 용어와 새로 제정된 용어의 정의 중 주요한 사항을 추가 설명하면 다음과 같다.

B. 최근에 개정된 골프 룰

1) 2019년 개정시행된 룰

2019년 1월부터 시행된 골프규칙은 R&A와 USGA의 규칙위원회의 전·현직 위원들이 주도해온 규칙의 현대화 방안의 산물이며, 각계의 골프 관련 종사자들을 비롯하여 전 세계의 수많은 골퍼들의 다양한 의견들을 반영한 결과물이었다.

이 개정 작업은 골프의 핵심 원칙과 특성을 지켜나가면서 모든 골퍼들의 요구를 감안하고 누구나 규칙을 보다 쉽게 이해하고 적용할 수 있도록 하기 위하여 근본적이고 광범위하게 진행되어왔다. 그 결과, 이 개정된 규칙은 보다 일관성이 있고, 보다 간단명료하며, 보다 공정한 면모를 갖추게 되었다고 할 수 있다.

골프 규칙은 누구나 이해할 수 있는 것이어야 하며, 각기 다른 능력을 가진 골퍼들이 전 세계적으로 서로 다른 여러 유형의 코스에서 플레이할 때 일어나는 문제들에 대하여 명확한 답을 줄 수 있는 것이어야 한다. 레프리와 위원회 그리고 규칙에 관하여 좀 더 자세하게 알기를 원하는 이들은 인쇄본이나 디지털 버전으로 된 『골프 규칙』을 찾아볼 수 있게 되었다.

또한 일반적인 플레이와 경기를 주관하는 방법에 관한 권장사항을 담은 「위원회 절차」와 「골프규칙 해석」을 수록한 『골프규칙에 관한 공식 가이드』도 새롭게 마련하여, 이 현대화된 규칙이 보다 공정하고 덜 복잡하며 더 이해하기 쉬울 뿐만 아니라, 골프가 직면하고 있는 플레이 속도의 향상이라든가 환경에 관한 책무와 같은 이슈들에 더 적절하게 부합된다는 것을 확인시켰다고 믿는다고 마크 레인먼 USGA규칙위원회 위원장은 말하였다. .

2) 2023년 개정된 골프 룰

골프 인구가 급속하게 늘어나고 세계 각국의 열거가지 인구가 골프를 즐겨 치게 됨에 따라 이 모든 사람을 다 포용하여 골프를 앞으로 더 보급시키고 대중에게 더 닦아 설 수 있게 하기 위하여 S&A와 USGA는 합심하여 2023년부터 새로운 룰 개정을 통하여 다음과 같이 이를 개정하여 보다 더 쉽게, 보다 더 편리하게 골프를 칠 수 있도록 골프 룰을 개정하였다. 그 중요한 것을 요약하면 다음과 같다.

1. 골프공이 딱 치기 좋은 위치에 있을 때 이 공이 움직이지 않기를 골퍼는 간절하게 바라게 된다. 하지만 원하지 않게 공이 저절로 움직이게 되는 상황이 발생하기도 한다.

기존에는 공이 움직였다면 그 움직인 자리에서 그대로 샷을 해야 하며 해저드, OB 같은 페널티 지역으로 갈 경우에는 벌타를 받고 다시 플레이해야 했다.

하지만 이번에 규칙이 개정된 이후에는 공이 혼자 움직였다면 원래 공이 있던 자리로 볼을 옮길 수 있으며 자연의 힘으로 인해 공이 움직인 경우에는 무벌타로 플레이가 가능하다.

2. 다음으로 스코어 카드를 잘못 작성했을 때 받는 페널티가 완화되었다. 골프 경기는 4명이 1팀이 되어 진행하게 되는데 각자 서로 경기 스코어를 적고 게임이 끝난 후 스코어를 제출한다. 이때 스코어 카드에 본인 서명을 하지 않은 경우는 점수 인정이 되지 않으며 바로 실격 처리를 당하게 됐어 있었다.

하지만 이제는 골프 규칙 개정을 통해 스코어 카드에 서명이 없어도 실격 처리가 되지 않으며, 또 경기 이후 핸디캡을 적지 않거나 잘못 적었을 경우 페널티를 받았지만, 이제는 모든 사항을 디지털화하여 책임을 골퍼에게 묻지 않고 주최 측에 책임이 있는 거로 개정되었다.

3. 골프 경기를 진행하고 있는 상황에 갑자기 골프 클럽이 파손되거나 손상되는 경우가 발생할 수 있다. 이때 골퍼들은 경기 진행에 어려움을 겪게 되며 당황스러운 순간을 맞이하게 되는 경우가 있다. 만약 드라이버가 경기 중 파손됐다면 우드로 티샷을 해야 하는 상황이 되는 것이다. 이렇게 되면 원래의 스코어보다 좋은 기록을 내기 어렵고 중요한 경기에서 이런 일이 발생한다면 그 경기 자체를 포기해야 하는

상황도 일어날 수 있다.

　　이처럼 경기 도중 발생하는 클럽 손상으로 많은 골퍼가 어려움을 겪고 있었는데, 이번 2023년 개정되는 규칙에는 골프 플레이 도중 손상된 골프 클럽은 교체 및 수리를 할 수 있게 바뀌었다. 물론 규칙이 이렇게 개정이 되었어도 고의성을 가지고 클럽을 손상시키는 경우는 해당하지 않는다.

　　4. 후방선 구제 규칙도 완화되었다. 기존 페널티 지역에서 후방선으로 구제하는 상황에 기준점에서 핀에 가깝게 떨어뜨리는 것이 인정되지 않았었다. 만약 가깝게 떨어뜨렸다면 다시 드롭을 해야 하기도 했다. 이제는 후방선 구제 드롭 뒤 한 클럽 이내 공이 멈추게 된다면 다시 떨어뜨리지 않고 그대로 플레이를 이어 나갈 수 있다.

　　5. 마지막으로 장애를 가지고 있는 골퍼에 대한 규칙이 개선되었다. 개정 전에는 장애를 가진 골퍼들에게 주최 측 위원회에 따라 별도의 룰이 정해져 있었다. 예를 들어 로컬룰에 도우미 동반 불가 규정이 있다면 도우미와 함께 경기를 진행하지 못해 어려움을 겪는 상황이 발생할 수 있는 것이다.

　　2023년 1월부터는 주최 측에서 정한 별도의 규칙이 아닌 공식적인 골프 규칙이 모든 대회에 적용되게 된다. 이런 개정 규칙으로 장애 골퍼들은 모든 대회에서 도우미 동반에 대한 로컬룰이 있는지 확인하지 않아도 되며. 모든 경기에 도우미와 동반할 수 있게 되었다.

　　이제 부터는 앞으로 이렇게 개정된 룰을 통해 예전과 다르게 좀 더 공정하게 경기를 치를 수 있게 되었다. 과거 프로 시합을 보면 1타 차이로 순위가 갈리는 경우도 많았는데,

이번 개정되는 골프 규칙을 통해   벌타로 인해 억울하게 스코어를 놓치는 프로 선수들이 많이 줄 것으로 예상해본다.

　　　취미로 골프를 즐기는 아마추어 골퍼의 경우에는 라운드 시 변경된 규칙을 모두 완벽하게 적용해 플레이하지는 않겠지만 그래도 변경된 룰을 숙지하고 있는 것이 큰 도움이 될 것이다.

14. 팔만대장경

부처님의 가르침 8만 4천의 법문을 수록한 고려 대장경. 웅장한 스케일, 광범위한 내용, 비가 오나 눈이 오나 연년세세 16년에 걸쳐 완성한, 유례를 찾아볼 수 없는 국보급 대경판(大經板).

누가 시킨 것도 아니건만 한번 발을 들여 놓으면, 비가 오나 눈이 오나 일 년 열두 달 365일 연년세세 끝내 놓지 못하는 것이 골프. 그 정성과 끈기는 큰 성을 쌓고 긴 둑을 만들어도 남을 정력.

남녀노소 할 것 없이 여러 세대가 한 덩어리가 되어, 몇 만 명이 일시에 필드에 모여드니 그 인력은 피라미드를 쌓고도 남고 나일강을 막아도 아직 여력이 있는 것 아닌가? 하루 이틀도 아니고, 만리장성인들 못 쌓으랴.

A. 새벽잠을 설치고

　　새벽 3시, 눈이 떠져 다시 잠을 붙이려 해도 6시 6분 티 업 시간에 맞추려면 시간이 어중간하여 그대로 뜬눈으로 잠을 설쳐 4시 30분에 집을 나선 경험이 한두 번쯤 누구나 있을 것이다.

　　더구나 요사이 부킹 난으로 근교 골프장엔 엄두도 못 내고 멀리 두 시간 차를 달려야 되는 경우도 간간이 있으니, 어디 새벽잠을 제대로 잘 수 있을까?

　　이미 골프 전쟁은 이곳에서부터 시작된다고 할 수 있다. 아니 어젯밤 술자리를 일찍 파하고 집에 들어와 아이의 공부에 방해가 될까 봐 조심조심 집에 들어갔다 나온 것을 생각하면, 이번만은 꼭 잘 쳐야 될 텐데 하는 조바심이 앞서는 것이 골프이다.

　　뿐만 아니라 처음 가보는 신설 골프장을, 행여 길을 잃어 못 찾을까 봐 어제 보아 둔 지도책을 들고 일찍 집을 나왔건만, 마음이 급해지는 것은 어쩔 수 없는 일이 아니겠는가?

　　대개 이런 경우는 클럽 하우스에 도착하여 골프 용구를 챙기다 보면 모자나 양말을 빠뜨렸다든지 갈아입을 셔츠를 안 갖고 온 경우도 흔히 있고, 바람막이나 우산을 빠뜨린 경우도 있다.

　　그러나 다시 집에 갔다 올 수도 없고, 클럽 하우스

매점도 아직 문을 안 열었으니 구할 수도 없고 해서 그대로 첫 홀로 발을 옮길 수밖에 없게 된다. 부스스한 얼굴, 아직 잠이 덜 깬 듯 한 상태로 제비를 뽑아 첫 티 샷을 하게 되니, 몸은 무겁고 감은 잡히지 않아 드라이버를 쥐고 친 볼은 그대로 오른쪽으로 휘어져 러프에 빠져 들어간다.

모든 운동은 시작하기 전에 적당한 워밍업(warming up)과 운동 감각을 익혀 실전에 들어가야 하거늘, 오자마자 몸을 풀 겨를도 없이 티잉 그라운드즉 티잉 구역에 섰으니 제대로 맞을 리가 없다. 물론 자신만 그런 게 아니고 같이 치는 사람 모두 마찬가지다.

그러나 이번은 지난주에 비하면 좀 나은 것 같다. 지난번에는 짙은 안개가 끼어 볼이 어느 곳으로 날아갔는지 몰라 볼을 찾느라 애를 먹었는데, 이번에는 그래도 볼이 보이니 다행한 일이 아닌가.

러프에 들어간 볼은 그래도 쉽게 찾았으나, 앞에는 나무가 길을 막아 별수 없이 페어웨이로 빼낼 수밖에 없어 5번 아이언으로 쳐냈으나, 기껏 100m 앞에 가서 멈추니 그린까지는 아직도 180m가 남아 스푼을 빼어든다.

그러나 볼이 온 그린 될 리는 없고 하필이면 벙커에 빠지니, 벙커에서 벙커 사하여 볼을 빼낸다 해도 원 퍼트하기에는 멀어 투 퍼트로 마무리하였건만 세어 보니 더블 보기가 아닌가.

첫 홀부터 더블을 하였으니 기분은 썩 좋지 않고, 몸은 아직도 풀리지 않았으니 두 번째 홀에서도 세번째 홀에서도 제대로 맞을 리 없어 스코어는 빗나가기 시작한다. 모처럼 스코어를 줄여 보려 마음먹었건만 어느 새 잊었다가 네번째 홀에서야 생각나니 언제 만회를 할까.

욕심은 막을 수 없어 드라이버를 쥐고 힘껏 쳐 보건만, 여전히 볼은 휘어 날아가니 파는 언제 하며 버디는 꿈도 못 꾸게 되는 것 아닌가.

그린에 고여 있는 이슬은 몇 사람이 다녀간 발자국 때문에 볼을 어느 정도의 감으로 쳐야 될지 몰라 첫 홀부터 계속 거리가 짧아, 이번에는 좀 세게 쳤더니 홀을 오버하여 내리막 퍼트를 하여 더욱 불안해지기만 한다.

그래도 저 멀리 동쪽 하늘에서 솟아나던 해가 어느덧 중천에 떠오르며 햇볕을 내리쬐니, 마음은 상쾌해지고 덩달아 몸이 풀리는 것 같아 그 뒤부터는 조금씩 맞기 시작한다.

특히 최근에 와서 이러한 새벽 골프가 잦아지고 있는 것은 골프 인구의 확장으로 부킹 난이 가중되어 어쩔 수 없는 현상이라고 할까.

그러면 황금 같은 9~10시에 티 업 하는 사람은 누구일까 하고 속으로 반문하면서 전화를 들고 화요일 날 종일토록 싸운 것을 생각하니, 이렇게라도 골프를 쳐야지 하고 자위하고 만다.

그래서 정신을 가다듬고 조심조심 플레이를 하며 전반 나인 아웃코스(9 out course)를 끝낼 때는, 그래도 45를 쳤으니 보기 플레이로 마무리하는 것이 된다. 후반에 들어와서 인 코스(in course)를 돌 때는 몸도 풀리고 그린에도 어느 새 이슬이 사라져 볼이 빨라지니, 아까보다는 더욱 조심하여 퍼팅을 하지 않으면 으레 홀을 오버하게 된다.

그러나 더블과 트리플 보기는 막을 수 있고, 가끔 파도 잡고 어떨 때는 버디도 잡아 전반 스코어보다는 후반 스코어가 몇 점 적어 그럭저럭 90 이내에 마무리하여 자기 핸디보다 한두 점 더 쳤으니, 그것이라도 다행으로 알고 채를 거둔다. 새벽잠을 설친 날은 이 정도가 최고인가. 지난번에도 그러더니.

B. 비오는 날 오후의 우중 플레이

어느 때부터인가 우리나라에서는 골프가 비가 오나 눈이 오나 날씨에 관계없이 언제나 할 수 있는 운동으로 인식되어 무더운 여름 비가 계속 내려도, 겨울에 필드가 하얗게 눈에 덮일 때도 골프장 측에서 골프장을 폐쇄하지 않는 한 열심히 골프를 치게 되었다.

이와 같이 극성스러운 골프 붐이 일어난 것은 두 가지 큰 이유가 있다고 본다. 우선 하나는 골프도 수입을 목표로 하는 사업인 만큼 날씨에 관계없이 문을 열어 되도록 많은 사람을 받아들이는 데 있고, 또 하나는 플레이어 측에 있다. 얼마나 어렵게 받아 낸 부킹인가?

오늘 못하면 내일이라도 칠 수 있는 것이 아니고 몇 주일 또는 심하면 한 달 뒤로 미뤄지는 경우도 있으니, 악착같이 플레이할 수밖에 없는 환경 탓도 있고, 모처럼 만나는 친구들과 더불어 담소의 기회를 갖는 데 더 큰 의의를 가짐으로써 날씨를 상관하지 않겠다는 사교적 의의도 있다.

문제는 이러한 우중 플레이가 평소 플레이와 달리 잘 풀리지 않고 빗맞기 일쑤여서 스코어도 좋지 않아, 모처럼의 기회와 꿈이 무산되는 게 보통이다.

대개 우중 플레이를 할 때는 비옷을 입고 친다 해도 거추장스럽고 비를 완전히 막을 수 없어 스윙에 지장을 받아서 평소에 나가던 비거리에 비하면 월등히 떨어지는 게 보통이다.

뿐만 아니라 때때로 안개까지 끼어 방향과 거리 잡기도 어렵고 곧잘 벙커나 러프에 들어간다.

그것은 물에 젖은 손으로 그립을 함으로써 손이 미끄러지고 제대로 힘 있게 클럽을 쥘 수 없으므로, 거리에 제한을 받고 방향이 비틀어지는 것이 상례다.

그것뿐인가? 평소와 달리 우산을 들고 다녀야 하기 때문에 그립 감각이 둔해지고, 요즘처럼 카트를 타고 다닐 때는 클럽을 두어 개 들고 다녀야 되므로 더욱 감각이 둔해진다.

그럼에도 불구하고 아마추어 골퍼는 날씨 좋은 평소와 똑같이 거리를 내려 하고 드라이버를 쥐고 휘두르고 페어웨이 우드를 꺼내 핀을 직접 노려본다.

상황이 바뀌었음에도 불구하고 스윙은 날씨 좋은 날 하던 대로 하니, 제대로 맞을 리가 없지 않은가? 따라서 우중 플레이를 할 때는 그 날의 목표를 재조정하는 것이 필요하다.

파보다도 보기 플레이를 목표로 한다든지, 거리보다 방향을 더 중요시함으로써 미스 샷을 방지한다든지, 될수록 벙커는 피하는 샷을 구사해야겠다는 등등 평소 플레이와는 다른 플레이를 상정하지 않으면 안 된다.

그런 점에서 볼 때 티 샷은 드라이버보다도 스푼이나 바피(baffy), 클리크(cleek)를 사용할 수도 있고 특히 페어웨이에서는 경험상 우드보다도 아이언을 사용하는 것이 적중률이 높다.

그러나 우중 플레이의 최대 문제점은 그립이 미끄러운 데 있는 만큼 이것을 방지하기 위하여 글러브(glove) 즉 장갑을 서너 개 미리 준비하고, 그립 부분을 닦을 수 있는 수건도 준비해야 한다. 그리고 여분의 양말도 준비해야 한다.

아무리 쥐는 힘이 센 사람도 물에 젖은 그립은 제대로 다룰 수 없어 대개의 경우 볼의 방향이 우측으로 날아가게 된다. 그런 점에서 어쩔 수 없이 젖은 글러브를 끼고 칠 때는 미끄러지는 것을 감안하여 왼쪽 방향을 겨누는 것도 한 방법이다.

하여튼 비오는 날의 우중 플레이는 힘들다. 그런 줄 알고 플레이하면 담담하고, 그렇지 않고 평소처럼 치려하면 짜증만 나는 샷이 나오는 날, 조심해서 쳐야 되는 날이기도 하다.

C. 겨울 골프

골프는 역시 날씨 좋은 봄 여름 가을에 즐기는 스포츠라 할 수 있다. 국제적으로나 국내적으로도 중요한 경기는 대개 이 기간에 행해지며, 추운 겨울엔 골프를 하기가 부적당하다고 할 수 있다.

그러나 우리나라의 특수한 기후 조건과 겨울에 골퍼들이 다른 적당한 곳을 찾기 힘든 땅이 좁은 우리나라에서는, 겨울에도 계속 골프를 칠 수밖에 없다.

그러나 겨울철에는 날씨가 추울 뿐만 아니라 눈이 와서 잔디가 얼거나 눈으로 덮여 사실상 정상적 플레이를 하기 어려울 뿐만 아니라, 플레이어 자신도 몸이 움츠러들고 손이 시려워서 그립이 제대로 되지 않고, 스윙(swing)이 균형을 잡지 못하여 애를 먹는다.

그럼에도 불구하고 미리 날씨를 가늠할 수도 없고 부킹 난 속에서 모처럼 얻은 기회를 놓칠 수도 없어 대개 그대로 플레이를 계속하게 된다.

그러다 보니 겨울엔 대개 내의를 끼어 입는다든지 방한복을 입는다든지 또는 양손에 장갑을 낌으로써 몸이 더욱 둔해지고 느낌이 제대로 오지 않아 볼 컨트롤이 어려워져 스코어가 여의치 않은 것이 보통이다.

그러나 겨우내 이런 날이 계속되는 것은 아니고, 햇

볕 나는 따뜻한 날도 가끔 있어 몸을 녹이기도 한다.

최근엔 의류 소재가 발달하여 얇은 방한복도 나오고 방한 기구도 나와 플레이에 도움을 주기도 한다. 그러나 근본적 해결책은 못 되어 아예 따뜻한 남쪽 나라로 원정을 가거나 잠시 쉬는 사람도 있다.

겨울 골프의 문제점은 날씨가 추워서 잔디가 얼어 공이 많이 튄다는 데 있다. 그래서 티 야한 볼이 한없이 굴러가서 엉뚱한 곳으로 간다든지, 어프로치 시에는 볼을 예정 지점에 올려놓기가 어렵고 백스핀(back spin)이 안 먹어 애를 먹는다.

그런가 하면 그린 위의 잔디에서는 볼이 똑바로 구르지 않고 아침엔 서릿발 때문에 방향이 바뀌기도 한다. 낮엔 그늘진 곳과 햇볕 내리쬐는 곳이 차이가 있어 볼이 튀게 된다.

그래서 골프장마다 겨울엔 티 플레이를 의무화한 곳도 있어, 아이언 샷까지 티 플레이를 하게 되어 우리나라 사람은 또 하나의 겨울 골프 기술을 닦지 않으면 안 된다.

한국 프로 골퍼들이 국제 시합에 약한 이유가 겨울에 연습하기가 힘들어 리듬이 깨져 버리기 때문이 아닌가 생각된다.

겨울에는 따라서 스코어보다도 체력을 유지하고 리듬감을 상실하지 않는 범위에서 플레이를 계속하여, 봄철의 본격적인 플레이에 대비해야 할 것이다.

D. 산악 코스

바닷가에 조성된 골프 코스를 시사이드 코스(seaside course) 또는 링크스(links)라고 한다. 대표적 예가 골프의 발상지 스코틀랜드의 세인트 앤드루스에 있는 올드 코스이며 미국 캘리포니아에 있는 페블비치 골프 링크스 코스 등이다.

한국에는 산악지대가 많고 대부분의 골프장이 산을 깎아서 조성했기 때문에 고차가 심한 산악 코스의 특징을 갖고 있다. 미국같이 넓은 대륙에 펼쳐 있는 평평한 코스에 비하여 우리나라 코스는 정확한 샷을 요구하는 코스이기도 하고 그만큼 지구력을 요구하는 코스이기도 하다.

홀과 홀 간의 거리가 길 뿐만 아니라 티잉 그라운드에서 그린이나 깃대가 보이지 않는 도그레그 코스가 많고, 대개의 경우 코스 어느 한 쪽이 높아 똑바로 치는 볼보다도 높은 비탈 쪽으로 쳐야만 유리한 경우가 있고, 정확히 치지 않으면 볼이 떨어진 장소를 엉뚱한 곳에서 찾아야 되는 경우가 있다.

뿐만 아니라 어떤 곳은 가파르게 산을 깎아서 골프장을 조성했기 때문에 절벽을 이루어 OB가 나면 볼을 찾기 어렵거나, OB가 나지 않더라도 비탈에서 올려쳐야 되는 경우가 많아, 이런 경우는 거리를 크게 손해 보게 된다.

그에 비하여 벙커는 자연적 지형보다도 인위적으로

조성되었기 때문에 별로 깊지 않아서 벙커에서 샷 하기가 그렇게 어려운 것은 아니다.

옛날에는 추운 기후 조건으로 잔디 관리가 어려워 잔디 상태가 좋지 않았으나, 근래엔 잔디 관리 기법이 발달하여 신설 코스라도 잔디가 잘 관리되어 있다.

그러나 가을과 겨울이 되면 잔디가 퇴색해서 플레이에 큰 지장을 주고, 극단적인 경우에는 티 플레이를 권장하고 있어서 골프 묘미를 반감시키고 있는 게 현실이다.

날씨가 따뜻한 남쪽 나라는 골프 코스들이 일 년 내내 푸름을 간직하면서 골퍼들을 손짓하고 있는 것과 비교하면 큰 차이가 있다. 요즈음 외국으로 많이 나가서 플레이하게 되는 것도 그러한 이유 때문이다.

또 바닷가의 그린은 비교적 부드러워 볼이 잘 정지되거나 백스핀이 먹는 데 반하여, 우리나라 그린은 여름을 제외하고는 건조기가 많아 볼이 구르기 쉽다.

또 그린의 위치가 일반적으로 페어웨이보다도 높은 포대 그린이 많아, 어프로치 시에는 거리 조정에 이런 점을 감안하여 샷을 해야 한다.

한 쪽에 산이 있고 반대쪽에 바다가 있는 경우 그린의 라인이 바다 쪽으로 기울어져 퍼팅할 때 상당히 애를 먹는 데 비하여, 사방이 산으로 에워싸여 있는 우리나라 그린에서는 라인만 잘 읽으면 퍼팅에 성공할 수 있다.

우리나라 코스 중엔 일부 너무 가파른 코스가 많아 나이 많은 사람이나 기력이 상대적으로 뒤진 레이디 골퍼는

한여름에는 라운딩하기가 힘들 뿐만 아니라, 산악 코스의 오
르막 홀에서는 표시 거리보다도 긴 거리의 클럽을 사용하고
내리막에선 그와 반대로 짧은 클럽을 사용해야 하기 때문에,
그 코스에서 자주 라운딩하면서 거리에 익숙해진 사람이 상대
적으로 유리하다.

뿐만 아니라 고저가 다른 홀마다 바람 부는 방향과
강약이 일정하지 않고, 한번 안개가 끼면 심한 경우에는 거의
오전 11시까지 안개가 걷히지 않아 플레이를 할 수 없는 경우
도 있다.

따라서 이러한 여러 가지 경우에 대비하여 그때그때
적절한 전략과 대책을 강구하면서 플레이하는 것이 필요하다.
그래야만 플레이하는 재미도 느끼게 되고 기술도 향상된다.

E. 운칠기삼 논법(運七技三 論法)

어찌 된 일인지 어제는 그렇게도 잘 맞아 멋진 스코어를 냈건만, 오늘은 잘 쳐도 벙커로 또는 러프로 **빠져** 볼을 치기가 어렵게 될 뿐만 아니라, 그것도 잘 쳐서 온이 된 줄 알았더니 그린 뒤편 에지에 볼이 붙어 내리막 퍼트를 맞게 되니 갈수록 태산이다.

그런데 상대방은 티 샷이 슬라이스가 나 오른쪽으로 OB가 나는 줄 알았더니 나무를 맞고는 페어웨이로 되돌아오는 것 아닌가? 그것을 페어웨이 우드로 쳤는데 그린 약간 못 미쳐 떨어지더니만 그대로 굴러 그린 에지까지 굴러가는 것 아닌가.

나는 내리막 퍼트로 아무리 잘 쳐도 3퍼트인데 상대방은 오르막으로 2퍼트로 마무리를 지니, 골프 경력 10년에 내 실력이 이것뿐인가 하고 속으로 탄식하다 아니야, 운(運)7 기(技) 3이야 하고 자위하면서 다음 홀로 발걸음을 옮기게 된다.

사실 티 샷이나 어프로치 샷을 나무랄 데 없이 잘 쳤건만, 어떤 날은 간발의 차이로 벙커에 들어가거나 OB가 되어 애를 먹는 경우가 한두 번이 아니며, 퍼트는 홀을 살짝 비껴 들어가지 않는 게 어디 한두 번인가? 어디 그것이 인간의 힘으로 좌지우지할 수 있는 것일까? 그리하여 그럴 때마다 우리는 '운7 기3 논법'으로 스스로 마음을 달래거나 상대방을 위로한다.

TV를 보면 어프로치 한 볼이 홀을 살짝 스쳐 빗나가는가 하면, 심한 경우는 들어갔다가 나오는 경우도 있다. 그것이 어디 잘 쳤다고 들어가고, 잘못 쳤다고 안 들어갔다고 할 수 있을까?

그러나 냉정히 생각해 볼 때 '운7 기3 논법'은 과장된 것 같다. 7할을 운으로 돌리고 기껏 3할 정도를 실력으로 돌려 자위한다는 것은 건전한 스포츠로서의 골프를 격하시키는 것으로 볼 수 있다.

물론 인간의 힘으로 미처 가늠하기 힘든 결과가 나오는 경우도 있지만, 아마추어들이 연습과 기량을 닦지 않고 그 날의 나쁜 스코어를 운으로 돌리는 것은 애교로 받아들일 수도 있다. 하지만 골프 자체가 '운7 기3 논법'으로 끝난다고 착각하면 기량 향상과 정신적 도야를 게을리 하여 건전한 스포츠로서의 발전을 저해할 가능도 있다.

사람은 태어나면서부터 본능적으로 아는 게 있고, 배워서 알게 되는 게 있고, 힘과 공을 들여서 아는 게 있다.

본능적으로 알게 되는 식욕, 성욕이나 배워서 알게 되는 각종 학문에 비하여 운동경기 즉 경마, 경륜, 볼링, 당구, 농구, 배구 등은 땀을 흘려가며 힘들여 연습함으로써 기술 향상이 되는 것이다. 앞의 세 분류에 넣는다면 골프는 힘과 공을 들여 하는 3번째에 속한다고 말할 수 있다.

따라서 연습 반복으로 기술을 향상시켜 스코어를 올릴 수 있는 것이 골프의 실력이고 또 그렇게 함으로써 스코어가 향상될 수 있기 때문에, 요행을 바라지 말고 끊임없이 골프 기법을 닦는 것이 정도라고 생각한다. 모름지기 골프 기법을 닦아 운3 기7로 역전시키겠다고 다짐하면서 오늘도 귀가 길에 오르는 것이 정도(正道)가 아닐까?

15. 엑소더스

모세에 이끌려 희망의 땅을 찾아 나선 유대 민족. 그 뒤 수없는 역사를 되풀이하면서 가난한 민족 짓밟힌 사람들은 새로운 지평(地平)을 찾아 나섰다. 지구 온가족이 한 덩어리가 된 오늘날엔, 밀물이 밀어닥치듯 곳곳에서 해방의 숨결이 물결치고 있다.

자유를 찾아 나선 사람들의 물결.

그 속에 골프를 치는 사람들이 끼여 있다.

수백 년 동안 가정에 갇히어 전통에 얽매어 왔던 사람들이 골프채를 들고 들판으로 빠져 나온다.

전통은 무너지고 새로운 숨결이 숨 쉬는 곳.

처음엔 남성이, 그리고 이젠 여성이 나서게 되었고, 낡은 질서와 기존 권위를 파괴해 간다.

국내뿐만 아니라 따뜻한 남쪽나라로, 드넓은 대륙으로, 이 자유의 물결은 국제화와 세계화의 물결을 타고 한없이 밖으로 뻗어 나간다.

A. 골프의 대중화

줄어드는 테니스 코트에 비하여 우후죽순처럼 늘어나는 골프 연습장, 새벽 5시부터 나와서 연습하는 열성파 30대 초보자와 주부들, 주말은 물론 주중에도 힘든 부킹 난 등을 보면 바야흐로 골프 전성시대임을 느낀다.

불과 20~30년 전만 해도 몇 개 안되는 골프장에서 특권층만 치는 것으로 알고 있었던 골프가, 최근 이와 같이 대중화되면서 국민 스포츠로 발전한 데는 몇 가지 요인이 겹쳤다고 할 수 있다. 첫째는 소득이 늘어남에 따라 생활과 시간의 여유가 생기면서 많은 사람들이 골프채를 잡게 되었다.

둘째는 승용차 보급에 따른 교통수단 발달로 레저 스포츠 활동이 원활하게 되었다.

셋째는 소득 향상과 국민의식의 발달로 가정에서 여성이 해방되면서, 바다로 산으로 그리고 헬스센터로 나갈 수 있게 되었다. 골프도 그 중 한몫을 차지하였다. 특히 중장년 부인은 아이들 양육에서도 어느 정도 벗어나면서 여가 시간이 많아지자 골프를 운동으로 택하는 사람이 많아졌다.

넷째는 직장에서도 이전에는 회사 임원과 고급 간부들에게만 은연중 허용되던 골프가 하급 간부에게까지 확산되면서 20~30대 젊은이가 골프 인구의 대종을 차지하게 되었다. 자율 경쟁과 정보 혁명을 통한 기업경영 체제하에선 기존의 권위주의적 간부 의식은 점차 사라지고 권한이 하부로 이양되면서, 일찍 골프를 배우자는 심리가 확산돼 가고 있다.

물론 이외에도 매스컴 발달로 골프 유인(誘因)의 증가, 소질이 있으면 일찍 개발해 보자는 극성파, 골프 용구의 발달 및 대중화 등이 관광 여행의 발달과 어깨를 나란히 하고 이젠 국내에서뿐만 아니라 해외까지 나가 세계 어느 곳에 가도 한국 골퍼들의 발자취를 찾아볼 수 있다.

바야흐로 골프 전성시대다. 그러나 골프 대중화는 필연적으로 골프의 질 저하를 동반하여 소위 벌거라이제이션 (vulgarization)을 가져왔다. 신사적 스포츠로 인식돼 온 골프가 어느 새 권세의 상징으로, 재력 과시로, 무질서의 대명사로 탈바꿈하고 있는 것 같아 안쓰럽기 짝이 없다.

골프 규칙 제1장에, 예절에 대해 규정한 것도 진정한 승부는 기술과 더불어 매너와 에티켓도 함께할 때라야 가능하기 때문이다. 그러나 골프장에서의 고성 방담, 도박, 캐디에 대한 욕설 등의 행동이 늘어나는 것도 대중화에 따르는 부작용이라고 할 수 있다.

골프 대중화가 질을 저하시키는 방향으로 나가지 않기 위해서는 골퍼가 서로 자제하고 규칙을 준수하여 진정한 스포츠로 가꿔 가는 동시에, 골프의 진정한 의의를 터득하면서 기술과 전략을 연구하여 골프 본래의 취지에 맞도록 플레이하는 것이 급선무이다.

B. 골퍼의 길

　골퍼가 처음엔 슬라이스에 울고, 슬라이스를 교정하려고 기를 쓸수록 폼은 더욱 엉망이 되면서 슬라이스 폼이 되는 것이 통례이다.

　하루라도 빨리 장타를 날리고 싶은 조바심에 코치가 가르쳐 주는 교정도 잠깐, 필드에 나가면 다시 슬라이스가 나서 오른쪽으로, 산 속으로 들어가, 도대체 왜 그런지 원인을 다시 생각해 보게 된다. 하지만 정도의 문제이지 결정적일 때 슬라이스가 나는 것은 마찬가지여서 여간해서 90의 벽을 허물지 못하고 주저앉고 만다.

　그러다 어느 날 갑자기 볼이 왼쪽으로 나가기 시작하여 그렇게 걱정했던 슬라이스가 훅 방향으로 날아가기 시작하여 새로운 고민에 빠진다.

　그 동안 클럽을 크로즈시켜 보기도 하고 그립을 펭거 그립으로 바꿔 보기도 하면서 또 인 사이드 아웃으로 스윙을 바꿔 보기도 하면서 도대체 무슨 원인으로 슬라이스가 나고, 또 훅 볼이 되는지 고민에 빠져 이 책 저 책 들추어 보면서 교정하려 하건만, 어디 그것이 그렇게 쉬운 일인가.

　그러나 웬일인지 한두 번은 90을 깨게 되고 보기 플레이를 했으니 그 기쁨은 말할 것도 없어, 직장에 가서 90을 깼다고 자랑을 하게 된다.

그러나 그 다음 일요일 다시 90을 깨려고 열을 올렸
건만, 90은커녕 95~96을 치게 되어 쑥스러움을 금할 수 없어,
몇 번 홀에서 스리 오버 파(three over par)를 했는지 따져 보
게 된다.

그린 옆에까지 잘 갖다 놓은 볼을 피칭 웨지로 잘 붙
여 이것을 꼭 파로 잡겠다는 욕심이 앞서, 가볍게 친 볼이 그
만 뒤땅을 쳐 2~3m에 머물고, 그 다음 허둥지둥 친 볼이 그린
뒤로 오버하여 결국 스리 퍼팅을 하고 말았다. 아무리 티 샷
을 잘 해도, 또 세컨드 샷을 잘 쳤어도 그린 주위에서 실수하
면 보기는 말할 것도 없고 더블 보기도 쉽게 나타나 스코어는
줄어들지 않는다.

그 동안 연습장에서 쇼트 아이언 연습도 좀 했고 어
느 정도 맞는다 싶었는데 이같이 되자 피칭 웨지를 들고 가까
운 거리를 다시 연습하기는 하지만, 제한된 1시간 30분의 시
간이 아쉬워 드라이버를 들고 슬라이스를 고치려고 연습을 하
다 보면 어느덧 시간이 모자라 어프로치 샷은 그만두게 된다.
그러나 100을 깬 뒤 90대를 치는 경우가 많아졌고, 최근에는
가끔 90을 깨기도 했지만 80대 치기가 그렇게 어려운 줄 몰랐
다.

그 사이 해외 출장도 갔다 오고 일이 바쁘다 보니 연
습할 겨를도 없어 주말에만 친구 따라 몇 번 쳐 봤지만, 스코
어는 그 뒤 줄어든 것 같지 않아 초조해진다. 그러나 예전에
비하면 슬라이스 때문에 OB나 러프로 들어가는 일도 줄어들
고 스리 퍼팅도 많이 줄어들었으니 나아진 것 같기도 하고,
또 증권 시장 시세 판처럼 스코어가 내려갔다 올라갔다 하면

서 내려가기도 하는 것이 골프이다.

구력 10년이 넘는 소위 싱글이라는 친구도 별로 거리가 안 나가는 것 같은데 어프로치와 퍼트로 마무리하여 80대를 치고, 나는 한두 홀에서 삐끗하더니 트리플 보기한 것이 결정적으로 작용해서 점수를 줄이지 못해 다음을 기약하게 된다.

세월이 흐르면서 이제는 나도 80대를 많이 치게 되고 스코어 카드를 보면 87, 88이라는 숫자가 가끔 나오게 되니 새삼스레 그 동안 투자한 돈이 모두 얼마인가 하고 자문하기도 한다.

친구는 요새 나보다 꼭 서너 점을 앞서 가니 나도 이젠 80대 초반 아니 80을 못 깬다니 말이 되느냐면서 옛날보다도 더 열을 올리게 된다. 책도 사 보고 멤버십도 하나 사고 그 동안 수고한 아내에게도 골프를 시작하게 한다. 집안이 모두 골프에 빠져드는 것 같아 휴가에는 제주도, 아니 괌이나 한번 다녀올까 하고 계획도 세운다. 참으로 골퍼의 길은 바쁘다 바빠.

15. 엑소더스

C. 누가 '골프 과부'라 했던가

과연 골프는 봄 여름 가을 겨울 4계절에 관계없이 일 년 열두 달 집안일은 돌보지 않고 열중할 정도로 재미있고 열 성을 드릴 만한 운동일까?

우리나라에 골프가 들어온 것은 오래 됐지만, 일반 대중에 까지 널리 보급된 것은 그리 오래 된 것은 아니다. 국민소득이 높아져서 생활이 윤택해지고, 시간적 여유가 생기면서 자동차가 보급되어 행동반경이 넓어지면서 골프 붐은 불기 시작하여 바야흐로 골프 대중화 시대에 들어왔다고 할 수 있다.

그러나 예나 지금이나 골프로 인한 각종 변화 가운데 뭐니 뭐니 해도 가정생활의 변화가 가장 큰 것이리라.

오죽했으면 골프 본고장 영미권에서조차 '골프 과부(golf widow)'란 말이 나왔겠는가. 골프에 한번 빠지면 가사를 돌볼 시간이 그만큼 없어지는 것은 확실하다.

지금의 교통 혼잡을 감안할 때 골프장까지 왕복 네 시간은 물론 플레이 시간 다섯 시간을 합치면 7~8시간이 소요될 뿐 아니라, 친구끼리 치다 보면 한잔 곁들이지 않을 수 없어 모처럼의 주말을 밖에서 보내는 주말 골퍼는 자식 얼굴을 한 달에 몇 번이나 볼 수 있을까? 온 가족이 고3병에 걸려 있는데 가장은 나 몰라라 사업상이라고 변명하면서 밖으로 나가니 30~40대 과부 아닌 주부는 짜증이 날 수밖에 없다.

그래서 요사이는 남편이 직장에 나가는 주중이면 골프 연습장엔 주부 골퍼가 대다수를 차지하고, 필드의 주중 부킹 태반은 여성 골퍼가 차지하여 바야흐로 여성 골프 상위 시대가 온 느낌이다. 누가 '골프 과부'라 했던가.

그러나 우리나라와 외국의 경우는 약간 그 취지를 달리하는 것 같다.

구미(歐美)의 경우 오랜 역사에도 불구하고 여성 아마추어 골퍼는 많은 것 같지 않다. 사회보장제도가 잘 되어 있는 나라에선 오히려 퇴직, 은퇴한 노인들이 골프장에 많고 젊은 여성은 많이 보이지 않는 데 비하여, 우리나라는 젊은 여성들이 많아 한국 여성들의 현격한 지위 향상을 엿볼 수 있다.

미국의 경우는 대부분의 컨트리클럽에 가면 연로한 노인들이 값싼 요금을 내고 소일하는 것을 많이 볼 수 있지만, 젊은 여성들이 치는 것은 흔하지 않다. 오히려 그곳까지 온 한국의 남성과 여성들이 골프를 치는 게 최근 눈에 띄게 많아졌다.

그래서 그런지 여성 중에도 남자 뺨칠 정도로 잘 치는 아마추어 골퍼가 나오는가 하면, 한편으로는 폼은 물론 공이 코앞에 떨어지도록 치는 졸타형도 많다.

이러한 여성 골퍼의 대부분은 남성들과 달리 선천적으로 타고난 여성 특유의 신체적 조건과 상대적으로 허약한 체력 때문에, 비거리에서 떨어짐은 물론 스윙 동작도 플래트 스윙(flat swing)보다도 업라이트 스윙 (upright swing)을 휘두르는 것이 특징이다.

또는 아이언보다는 페어웨이 우드를 많이 사용하여 거리를 조정하고, 섬세한 성격 때문에 토핑을 자주 하게 되나, 반면 퍼팅 감각이 뛰어나서 스코어를 줄이는 데 큰 도움이 된다.

또 여성 골퍼의 대부분은 남성들과는 달리 스코어에 매달리기보다는, 즐기는 스포츠로써 동창회나 어머니회, 동생 그리고 이웃집 사람들과 해방감으로 어울리는 경우가 많다.

남성들이 직장에 얽매여 주말을 즐기는 데 비하여, 여성은 주중을 이용하기 때문에 상대적으로 부킹도 자유로울 뿐 아니라 경제적으로 여유만 있다면 횟수도 늘릴 수 있어, 소질이 있는 가정주부가 남자들과 레귤러 티에서 맞붙어 경쟁을 해도 스코어에서 뒤지지 않는 실력파가 늘어나는 것은 당연한 추세라고 할 수 있다.

최근 프로 골퍼 세계에서도 우리나라 여성들이 두각을 나타내어 새로운 기대주가 나오고 있는 것도 이와 무관하지 않다. 바야흐로 여성 골프 천국이 돼 가는 듯한 느낌이다.

D. 골프 입문의 동기

골프가 대중화되기 전 1970년대 어느 사업가가 '머리를 얹기' 위하여 필드에 나가 모처럼 라운딩 기회를 얻었는데, 어찌 된 일인지 첫 홀 티잉 그라운드에서 티 샷한 것이 볼은 맞지 않고 한 번 두 번 세 번 계속 헛치는 것이었다. 뒤에서 대기하고 있는 플레이어가 많았던 것도 심리적 불안 요인이 되었지만, 한 번도 아니고 두 번, 세 번 되풀이되자 동반 플레이어가 참다못해 "바람만 치고 있구만" 하고 놀렸다.

평소 얌전하기로 소문난 그 사람은 등산 이외에 운동이라곤 한 일이 없는 데다, 사전 연습도 변변히 못하고 필드에 나왔으니 공이 맞을 리 없었다.

그러나 웃을 일이 아니다. 이런 경우는 요즈음도 가끔 볼 수 있는 현상이며, 사전 연습 없이 놀러 온 기분으로 나왔다가 얼굴이 무색해지는 경우라 하겠다.

골프를 시작하는 초보자의 경우 여러 가지 경우가 있겠지만, 평소 야구나 테니스 등 일정한 운동을 꾸준히 해 온 사람은 골프에도 빨리 숙달하는 것 같다.

대개 공은 속성이 비슷해 야구나 테니스에 능한 사람은 골프에도 능하고, 그런 여가를 즐길 겨를 없이 40~50대가 되어 시작하는 사람이 애를 먹는 것은 당연한 것인지도 모른다.

세계적인 테니스 선수 랜들이 골프 무대에 데뷔하여 프로 입문을 하고 또 유명한 운동선수들이 친목 시합에 나와 그래도 좋은 스코어를 유지하는 것은, 볼 운동이 일맥상통한 점이 있기 때문이다.

그런 점에서 직장에 다니고 있고 시간이나 재력 면에서 충분한 여력을 갖지 못한 사람은, 우선 각 직장에서 제공하는 레저 스포츠 시설을 이용하여 몸의 유연성을 기르는 것이 좋다.

내가 아는 몇몇 테니스 애호가는, 골프를 시작하자마자 다른 사람보다 몇 배나 빨리 숙달하여 일 년 이내에 80대를 치는 것을 보고 찬탄을 금치 못한 일이 있었다.

또 요사이는 어린 학생들이 장래 프로 골퍼가 되리라는 희망을 안고 부모와 같이 연습장을 찾는가 하면, 가정주부들이 아이들이 학교 간 틈을 이용하여 여가를 즐기려고 열심히 골프채를 휘두르는 것을 보면 일률적으로 얘기하기는 어렵게 되었다.

문제는 기초 체력 단련 없이 골프에 매달릴 때 심리적으로 겪는 갈등이 그만큼 크다는 것이다.

나이 40~50세에 시작하면 자기보다 10년 이상 먼저 시작한 동료 골퍼와 비교하여 항상 자괴심(自愧心)을 갖는 샌님파, 일취월장하는 자기 실력을 보고 새벽이고 저녁이고 틈만 나면 연습장을 찾는 노력파, 아무리 쳐도 거리가 나지 않아 행여나 하고 골프 잡지에 나오는 최신 드라이버를 번갈아 구입하여 시험해 보는 재력파 등 이 모두가 늦게 시작했으나 스코어를 줄이려고 노력하는 아마추어 골퍼의 단면이라고 할 수 있다.

　한번 입문하면 물러서기 힘든 것이 골프라, 어떻게 해서든 빨리 숙달하여 나보다 먼저 시작한 사람들보다 잘 쳐야겠다고 다짐하는 데 골프의 묘미가 있다. 시작해 놓고 볼 일이다.

E. 골프 삼매

　골프를 시작하게 된 동기가 사람마다 다르고 또 시작하게 된 시기와 환경이 각각 다르기 때문에, 골프에 대한 열정도 다르다고 할 수 있다.

　초기 골퍼들은 골프채를 들고 필드에 나가게 될 때, 오늘은 어떻게 쳐서 좋은 결과를 낼까 하고 마음 설레면서 이른 아침부터 들떠 있는 게 보통이다.

　그러다 점차 골프에 익숙해지고 스코어도 향상되어 남들과 겨루어 점차 자신이 붙게 되면 점심이나 저녁 내기를 하게 되고, 아니면 지난번에 분패한 게임을 이번에 꼭 되찾기 위해 필드에 나서게 된다.

　골프를 하다 보면 각양각색의 성격이 18홀을 도는 동안 나타나기 때문에, 노련한 골퍼는 서두르지 않고 상대방이 무너지기를 기다린다고 할까? 이에 반해 하이앤디 골퍼는 자기 마음을 잘 다스리지 못하여 대개 자멸하고 만다.

모든 운동이 그렇지만 게임의 최대 기쁨은 승리에 있기 때문에 지는 게임보다 승리할 때의 기쁨이 큰 것은 말할 것도 없다. 그러나 모처럼 만난 친구나 새로 사귀게 된 낯선 사람을 대할 때는 승리보다 매너와 기(技)를 겨루는 것이 위주가 되기 때문에, 승리에 너무 집착하게 되면 자칫 상대방에게 실례가 되는 행동을 할 때도 있다.

하물며 접대 골프에 있어서랴? 그러나 승리보다도 참가에 의의가 있다는 올림픽에서도 결국은 승리를 위하여 갖은 방법이 동원되어 눈살을 찌푸리게 하는 일이 있다. 모든 게임은 결국 승리를 위하여 존재하는지도 모른다. 그렇지 않다면 실력을 기르고 기를 닦을 필요가 없지 않은가?

요는 에티켓을 강조하고 스스로 자기 자신을 체크하면서 쳐야 되는 골프에서는, 규칙을 지키면서 승리하게 되었을 때 그 기쁨은 더 남다르다 할 것이다. 그런 승리를 쟁취하기 위해서 일취월장하여 어느 날 스코어가 100을 깨고 90을 깨 드디어 80을 깨는 경우가 생겼을 때, 드디어 골프계 사교인(社交人)으로 끼어든 것 같은 황홀감에 젖어 들게 된다.

뜨거운 햇볕 아래 검게 그을린 얼굴에 비지땀을 흘리는 여름이나 차가운 겨울날 옷을 겹겹이 입어 잘 돌아가지도 않는 몸을 휘둘러 러프에 들어간 공을 찾는 경우는 물론, 때로는 사회의 지탄도 마다하지 않고 해외 원정까지 나가 며칠 동안 집을 비우는 경우도 있으니, 정말 골프란 그렇게까지 재미있는 것일까?

하여튼 뜨거운 여름 햇볕 아래 18홀을 마치고 욕실에 들어가 샤워하고 탕에 들어갈 때는, 잘 쳤던 못 쳤던 하루 일과를 마치고 모두 똑같은 즐거움에 젖는 것이 보통이다.

그때의 시원함, 긴장된 몸을 풀고 정신적으로까지 이완되어 가벼운 마음으로 맥주 한잔을 들이켜며 스코어를 재점검하고, 학교 다니는 아들딸들의 얘기, 사업 얘기 등을 자연스럽게 꺼내게 될 때는 사교장이 되기도 한다. 그에 더하여 성적을 발표하는 간사가 호명할 때는, 우승은 못하더라도 준우승, 니어리스트 (nearest), 롱기스트(longest) 심지어 행운상이라도 받게 되면 모두 즐거워하고, 마지막에 호명되는 우승자는 우승의 기쁨과 더불어 트로피를 높이 들고 여러 사람에게 답례하는 것이 아마추어 골프의 즐거움이 주는 하이라이트라 하겠다.

이렇게 스트레스를 모두 풀어 버리고 다음을 기약하고 귀가 길에 오르면, 다시 속세로 되돌아와 고속도로를 달리게 된다.

16. 콩코드 광장

남녀노소 각양각색의 사람들이 모여드는 곳. 그곳에서 사람들은 새로운 사람을 만나고, 서로 대화를 나누고 의견을 제시한다. 세대를 초월한 이러한 대화의 광장은, 화합과 관용을 낳고 나아가 평화를 가져온다.

사람은 원래 만나면 친해지는 것. 오랜만의 만남이었다. 산에 막혀 물에 잘려 동서남북으로 헤어졌던 동족이 굴이 뚫리고 다리가 놓여 길이 닦이자, 자동차를 몰고 새벽길을 달려온 곳. 그곳이 옛날의 오지, 오늘의 골프장.

그곳에서 못 만났던 옛 친구들을 만나고 동료를 만나 회포를 풀어 놓는다. 이제 민족은 하나, 통일의 길도 여기에서 열리리라.

A. 젊은이의 골프

같은 핸디를 놓고 친다면 젊은이가 연로자를 당하지 못한다. 골프를 시작한 지 얼마 안 되는 젊은 골퍼가 보기 플레이를 한답시고 같은 보기 플레이어인 나이 많은 연로 골퍼와 같이 치면, 아마 경험이 많은 노인이 이기는 경우가 많다.

젊은이는 패기가 넘쳐 230m를 날리기도 하고 때로는 버디를 잡기도 하지만 OB가 한두 번 나고 러프에 들어가는 일이 많고, 그린 위에 올라가면 투 퍼트, 스리 퍼트를 하는 일이 많다. 경험이 많은 연로자는 비록 거리는 멀리 나가지 않더라도 거의 OB가 없을 뿐만 아니라, 러프에 들어가도 허둥대지 않고 다음에 치기 좋은 곳으로 빼내 수월하게 온 그린을 시킨다.

하나는 패기 있는 플레이어요, 또 한 사람은 침착한 플레이를 되풀이하는 것이지만 끈기 있는 인내심을 요구하는 골프에서는 침착한 골퍼가 유리하다고 할 수 있다.

18홀을 다 돌고 난 뒤 스코어를 보면 연로자는 대부분 아웃코스와 인 코스에 스코어 차이가 크지 않아 전반 43, 후반 47 또는 45, 45인 경우가 많은 데 비하여, 젊은이는 전반 42, 후반 48 또는 44, 46 등 스코어 차이가 크게 벌어지는 경우가 많으며, 극단적인 경우에는 50에 40을 쳐 10점정도 벌어지는 경우가 있다. 스코어 차이는 같은 보기 플레이어라 해도 일반적으로 장타 위주의 젊은 골퍼가 세기(細技)가 다듬어져 있지 않아 기복이 심함을 알 수 있다.

그러나 9홀에 40을 칠 수 있다는 것은 어느 땐가 또 9홀에 40을 칠 수 있는 가능성을 내포하는 것으로, 잠재적 능력 면에서는 젊은이가 유리하다고 할 수 있다. 1년 뒤 두 사람이 다시 시합을 한다면 젊은이 쪽이 나아질 수 있는 확률이 크다고 할 수 있다. 오늘 따라서 골프는 최종 스코어만 중요한 게 아니고 과정을 분석하여 앞으로의 플레이에 참고할 뿐만 아니라, 미스 샷 방지를 위한 타법 연구에도 신경을 써야 한다.

연로자는 이미 굳은 스윙 폼을 경험과 자기식 타법으로 해결하면서 스코어를 유지하는 데 반하여, 젊은 골퍼는 아직 배우는 과정이고 타법도 굳어져 있지 않아서 노력 여하에 따라 얼마든지 스코어를 줄일 수 있다.

뿐만 아니라 왕성한 젊은 힘을 활용하여 새로운 타법과 정보를 끊임없이 흡수하여 기술 향상과 발전을 가져올 수 있기 때문에 희망이 있다.

따라서 발전적 골프, 끊임없이 도전하는 골프로 맛들일 때, 골프는 더욱 재미있고 흥미 있게 된다.

B. 세대를 초월한 골프

우리나라 아마추어 골퍼의 대부분은 중년에 접어들면서 골프를 시작한 사람들이다. 어릴 때 기초부터 착실히 쌓아올린 게 아니라, 80년대 이후 국민 생활수준이 향상되고 자동차와 골프장이 늘어나면서 골프채를 잡기 시작하여, 그 수가 급진적으로 증가하였다.

사람에 따라서는 40대, 50대에 들어서서 시작한 사람도 있고 30대에 시작하는 사람들도 있어, 근육과 골격이 굳을 대로 굳은 뒤 시작하여 스윙 폼이나 타법이 제대로 된 사람이 많지 않다.

그러다 50대에 들어서서 시니어(senior)가 되면, 이젠 교정할 힘과 기력도 부족하여 대개 굳은 폼으로 골프를 즐겨 여가를 선용하고 있는 것이 현실이다.

이에 비하여 최근의 골퍼들은 젊을 때 시작한 사람이 많고, 그 동안 교습 방법이 많이 달라졌기 때문에 원칙에 입각한 스윙 폼을 구사하면서 플레이를 하는 사람이 늘어나고 있다.

그러나 그린 주변의 세기(技)보다도 파워 위주의 플레이를 하려 하기 때문에 스코어 향상엔 크게 기여하지 못하고 하이핸디에 머무르고 있는 것이 아마추어 골퍼의 실상이다.

시니어들이 처음 골프를 시작하게 된 1960년 혹은 70년대 초반만 해도, 골프 연습장도 많지 않고 교습서도 거의 없고 비디오도 발달되지 않아서 교습을 받을 기회도 적었다.

그러나 오늘날엔 문호가 개방되고 각종 문물이 흘러들어옴으로써 보다 쉽게 배울 수 있을 뿐만 아니라, 각종 제도와 시설도 그때에 비하면 많이 나아졌고 보다 젊은 나이에 배울 수 있어, 기회는 훨씬 많아졌다고 할 수 있다.

그러나 대부분의 아마추어 골퍼는 단순히 즐기기 위한 레저 운동으로 골프를 시작했기 때문에 최근 4~5년에 입문한 대부분의 골퍼는 속성 골퍼가 많아, 기초적 훈련을 쌓은 뒤 착실한 기술을 쌓은 골퍼는 많지 않은 편이다.

오히려 단시간에 급격히 늘어난 골프 인구 때문에 골프 질서의 혼란을 초래하여 부킹의 어려움, 골프 규칙 준수의 해이, 골프 진행의 미숙 등 갖가지 부작용이 발생함으로써 지탄을 받는 일도 있다.

골프가 플레이어 자신이 관리하는 운동으로 발전해 온 사실을 감안할 때, 기술 연마와 더불어 질서 있는 플레이를 보장하는 매너와 에티켓의 준수가 요구되는 시기가 바로 지금이라고 할 수 있다.

C. 재벌 총수와 골프

　　우리나라 재벌 총수 특히 2세 총수들은 골프에서도 두각을 나타내어 싱글 핸디캐퍼(single-digit handicapper)나 80대를 치는 로우 핸디캐퍼(low handicapper)가 많아 사업과 골프가 함수관계가 있는 것 같은 생각이 들게 한다.

　　일반적으로 창업주들이 60~70년대 우리나라 경제개발 초기에는 일에 바빠 골프를 즐길 시간적 여유를 갖지 못한 데 비하여, 재벌 2세들은 학창 시절과 외국 유학 중 골프에 열중함으로써 실력이 크게 향상되어 몇몇은 싱글 핸디까지 내려갔다 하며, 그런 맹렬성을 갖고 사업을 하니 일반 사원들이 긴장할 수밖에 없는 것 같다.

　　따라서 골프를 이해하고 아예 골프장을 소유하고 있는 재벌회사 직원들은 그만큼 자유롭게 골프를 즐기고 실력이 느는가 하면, 골프장도 없고 또 총수가 골프를 치지 않는 회사의 직원들은 자유롭게 골프장에 나갈 수도 없어 회사별로 색깔의 차이가 난다.

　　그러나 최근 2~3년 동안 급격히 확산된 골프 인구와 새로운 X세대의 직업관 변동으로, 여가 선용의 한 수단으로써 골프는 계속 늘어만 가고 있다. 더구나 최근엔 각종 골프 용구의 수입이 자유화되고 관세도 인하됨에 따라 골프채를 잡는 인구가 늘어, 점차 회사 간 색깔 차이는 없어지고 실력도 평준화되어 오히려 개인별 실력 차이가 눈에 두드러지게 되었다.

또한 앞으로는 젊은 세대가 평생직장의 개념을 포기하고 자기 취미에 맞게 직업을 고를 뿐만 아니라 레저도 자유로이 선택하는 경향이 있어, 그 중 골프를 선호하는 층은 갈수록 확산될 것으로 관측되고 있다.

또 한편으로는, 최근에는 옛날과 같이 대기업에 밀착되지 않고 독자적으로 자립해 가고 있는 중소회사의 사장과 직원들이 늘어남으로써, 이들의 골프 실력이 월등히 향상되어 이제는 골프가 재벌만의 독점 스포츠에서 벗어나고 있다고도 할 수 있다.

그러나 여전히 골프의 부킹 난과 시장에서 독점적 경쟁 우위를 확보하고 있는 우리나라 대기업의 실정으로 볼 때, 당분간은 재벌과 골프와의 연관성을 부인할 수는 없을 것이다.

D. 대통령의 골프

1909년 태프트 대통령 이후 클린턴 대통령까지 16명의 미국 대통령 중 후버, 트루먼, 카터 대통령을 뺀 13명 대통령의 골프 일화를 담은 책이 최근 미국에서 발간되어 화제를 모으고 있다고 한다.

그 책에 의하면 아이젠하워 대통령은 유명한 골프광으로 8년 임기 동안 800회의 라운드를 함으로써 평균 주당 2회 정도의 라운드를 하였다.

케네디 대통령은 여유 있는 가정에서 태어나서 10대에 클럽을 쥐기 시작하여, 하버드 대학 1학년 때 예일 대학과의 대항전에 대표로 참가할 정도의 실력을 갖춘 핸디 7~10의 싱글 핸디 골퍼였다. 특히 케네디 대통령은 7번 아이언 샷에 능했고 부드러운 스윙을 구사했다 한다.

닉슨 대통령은 부통령 시절 아이젠하워 대통령과 조를 이뤄 대회에 나갔다 패한 뒤로, 심기일전하여 연습에 몰두하여 1961년에는 홀 인 원 기록도 갖게 되었다.

레이건 대통령은 배우 시절엔 핸디 12까지 내려갔으나, 재임 중에는 골프 치는 횟수를 줄였다고 한다.

부시 대통령은 핸디 11의 실력파. '스피드 골퍼'라는 별명을 얻을 정도로 플레이가 빨라 18홀을 1시간 42분 만에 돈 적도 있다고 한다.

클린턴대통령은 드라이버 샷이 275야드나 나가는 장타자. 그러나 플레이가 늦어 1라운드에 5시간 이상 걸리기도 하는 핸디 10대 후반의 열성파라고 한다.

우리나라에서는 바쁜 정치 생활 속에서 골프를 치는 대통령도 오히려 임기 중에는 삼가해서 이를 입증할 만한 공식 자료가 없다. 특히 현직 대통령은 임기 중에는 출장을 하지 않겠다는 의지를 표명함으로써 미국과는 대조를 이루고 있다.

대통령이 골프장에 나갈 때는 경호와 신분 보장을 위하여 경계가 심하고 앞뒤 홀이 비는 경우가 많다. 일반인들도 어쩌다 앞뒤 홀이 비는 여유 있는 플레이를 할 때는 '대통령 골프'를 친다는 속담도 나오게 되었다.

그러나 으레 4시간쯤 걸리는 플레이 시간 때문에 9홀만 돌고 돌아서는 경우가 많아, 대통령이라 해도 마음대로 여유 있게 칠 수 없는 게 골프일지도 모른다.

특히 최근에는 골프 인구가 급격히 늘어나 대통령이라 해도 한가로이 플레이를 할 수 없는 상황이 되었고, 일반인도 앞뒤 홀이 비어 있는 상황에서 치는 소위 '대통령 골프'를 칠 수 있는 기회가 줄어들고 있으니, 안타깝다고나 할까?

17. 동의보감

허준이 집대성한 불멸의 의학 금자탑.

사람의 오장육부(五臟六府)가 그 속에 있고, 만병치료책(萬病治療策)이 그곳에 담겨 있다.

위로 천기(天紀)에 통달하고, 아래로 인리(人理)를 깨달아 이를 실천하면 건강을 보존하고 백세를 누릴 수 있으며, 그렇지 않으면 만병의 근원이 된다.

사람은 본래 우둔한 것. 종일 몸을 혹사하고 오장육부를 쥐어뜯으면서도 쉴 줄 모르는 자칭 만물의 영장.

빌딩의 밀림 속에, 딱딱한 아스팔트 위에 몸과 마음은 찌들고, 회전의자에 허리와 다리는 허약해지건만, 바삐 바삐 움직이는 동물들. 이제 한 번쯤은 쉬어야 하는데……

A. 그늘 집에서

4~5시간쯤 플레이를 속행하려면 튼튼한 체력의 뒷받침 없이는 골프를 하기가 어렵다.

그래서 우리는 클럽 하우스에 도착하면 대개 간단한 식사를 주문한다고 하면서 해장국, 곰탕, 육개장 또는 추어탕, 에그 플라이를 주문하여 티업 시간 전에 부산하게 먹어 치운다.

그럴 수밖에 없는 것이 새벽 4시나 5시쯤 집에서 출발하여 6시 30분이나 7시쯤 골프장에 도착하는 경우에는, 아침밥을 못 먹고 나온 때가 많아 시장기를 때우기 위하여 우선 아침을 먹고 코스를 돌게 된다.

그뿐인가, 토요일 오후 12시나 2시경에 티업 시간을 예약한 경우에도 허겁지겁 클럽 하우스에서 점심을 때우고 첫 홀로 나가는 경우가 많다.

또 보통 4~5시간 동안 플레이를 하다 보면 점심 시간이 중간에 끼는 경우가 많아 코스를 도는 동안이나 아웃코스를 마치고 식사를 하는 경우도 많다.

시간 여유가 없을 때는 코스 내에 있는 그늘 집에 들러 가벼운 식사로 때운다.

그런 경우 으레 식후변(食後變)이라, 티 샷한 볼은 제대로 맞지 않고 땅볼이 되거나 슬라이스 또는 훅이 되는 경우가 많다.

갑자기 먹은 음식물이 신체에 영향을 주어 미세한 변화를 일으켜서 스트로크에 영향을 미치게 되는 것이다. 그래서 그때까지 잘 맞던 샷이 일시적으로 흔들리게 되는 것을 우리는 가끔 경험한다.

여러 가지 운동 중에서 운동 도중에 식사를 하는 운동은 거의 없는데 골프만큼은 4~5시간이나 걸리기 때문에 시작하기 전이나 중간에 허기를 채우지 않으면 운동을 속행할 수 없어 대개 식사를 하게 된다.

이때 먹는 식사량은 사람마다 다르기 때문에 일률적으로 말할 수는 없지만 자기 기호에 맞는 것을 골라 먹게 되는 것이 보통이다.

문제는 이러한 식사 때문에 식후 바로 친 볼이 가끔 미스가 나는데 이를 어떻게 해야 하느냐는 것이다.

어떤 우리나라 선수가 동남아에 원정을 가서 굶주렸던 배를 채우고 시합에 출전했다가 형편없는 스코어가 나와 결국 헝그리(hungry) 정신없이는 운동이 잘 되지 않음을 깨닫고, 그 다음부터는 음식을 적절히 조절하여 좋은 성과를 거두게 되었다고 술회한 적이 있다.

음식물은 먹자마자 소화되는 것이 아니고 보통 한두 시간쯤 걸려 소화되면서 체력이 보강된다고 생리학자는 말한다. 따라서 소화가 진행되는 동안에는 위에 부담을 주어 운동 감각에 미세한 영향을 준다고 할 수 있다.

철저한 프로 정신으로 게임을 하는 것이 아니고 친목

과 접대를 목적으로 진행되는 아마추어 골프다 보니, 몇몇 사람은 오히려 먹는데 취미를 붙여 잘 안 맞는 골프에 집착하기보다는 실속이나 채우자는 사람도 더러 있다.

영미에서는 18홀을 도는 사이 아예 그늘 집은 구경도 할 수 없는 게 보통이다. 그늘 집은 우리나라와 일본의 전유물인 것 같다.

평소에 체력을 보강하고 몸을 다져 플레이하는 당일에는 진지하게 게임을 진행함으로써 동반 경기자의 플레이를 간접적으로나마 지원하는 것이 예의이거늘, 아무리 식후경(食後景)이라 해도 골프는 경(景)이 아닌 기(技)의 운동일진대, 적절한 음식 조절을 해야 하지 않을까?

B. 골프와 다리의 힘

골프는 다른 운동과 마찬가지로 튼튼한 다리를 전제로 한 운동이다. 우선 4~5시간을 걸어야 되는 페어웨이는 6~7km에 해당되고, 혼간 거리와 때때로 나는 훅과 슬라이스를 감안하면 10km는 족히 된다. 가파른 산악 코스에 가면 훨씬 더 힘이 든다.

더구나 단순히 걷기만 하는 것이 아니고 볼을 맞히기 위하여 스윙 동작을 할 때는 두 발을 땅 위에 단단히 받치고 허리를 비틀어 염력(捻力)을 짜내야 하기 때문에, 다리에 힘이 없으면 스웨이(sway)가 되거나 한 발이 들려지므로 염력을 짜낼 수 있는 힘이 부족하여 충분한 거리를 낼 수 없게 된다.

물론 처음에는 스윙 폼이 미숙하여 제대로 스윙이 안 되는 경우가 많지만 발의 힘이 부족하고 다리가 흔들려서 스윙이 제대로 안 되는 경우도 많다.

따라서 스윙을 제대로 하려면 발과 다리의 힘을 보강해야 한다.

남아공화국 출신의 어니 엘스(Ernie Els)가 역도로 몸을 단련하고, 프레드 커플스(Fred Couples)가 당초 야구선수로 출발하여 몸을 다진 것과 마찬가지로, 아마추어도 제대로 골프를 하려면 평소 발과 다리 힘을 보강해야 한다.

대부분의 현대인은 걷기보다는 자동차로 출퇴근하

고 사무실에 앉아 일을 보게 되는 경우가 많아, 자기도 모르는 사이에 다리가 쇠약해져 다리 힘이 허약해지는 것이 보통이다.

또한 나이가 들면 제일 먼저 허약해지는 부분도 다리와 눈인 것 같다. 골프에서도 이 두 부분이 쇠약해서는 실력 발휘를 하기 어려운 만큼 평소 조깅을 한다든지, 자전거를 탄다든지, 계단을 오르내림으로써 기초 체력을 단련하는 것도 중요하다.

발과 다리에 비하여 팔과 손의 힘은 상대적으로 그렇게 크게 필요한 것 같지는 않다. 골프의 스윙이 허리와 어깨를 회전시킴으로써 팔과 손은 그에 따라가면서 클럽을 휘두르기 때문에, 단단한 그립과 리듬 및 템포를 유지해야 되는 역할을 하지만 그 이상의 힘을 가하면 오히려 균형이 깨지는 것이 보통이다.

손목의 힘이 강한 사람이 오히려 손으로만 치는 스윙을 해서 전반적인 스윙의 변형을 가져오는 것을 자주 보게 된다.

손과 팔은 오히려 리드미컬(rhythmical)한 신축성을 갖고 허리와 어깨에서 나오는 염력을 클럽에 전달하는 역할을 하면 그 기능을 다 한다고 볼 수 있다.

따라서 튼튼한 다리 즉 건각(健脚)을 보전하기 위해서는 평소부터 적절한 운동을 해 두는 것이 무엇보다도 필요하다.

C. 골프와 요통

골프 스윙은 두 발을 땅에 버티면서 허리를 비틀어 염력(捻力)을 짜내어 되튕기는 일종의 언밸런싱 (un-balancing) 운동이다.

따라서 심하게 골프를 하다 보면 허리에 무리한 스트레스를 가하여 허리 통증을 호소하는 사람이 많고, 웬만한 사람이면 한두 번 아파 본 경험이 있을 것이다.

프로 골퍼 중에서도 세계적인 대 스타 잭 니클라우스나 프레드 커플스가 허리 때문에 고생한 일이 있으며, 우리나라에서도 많은 프로 골퍼들이 요통 때문에 고생하고 있다고 한다.

연전에 쌍용챌린지대회에 참가한 코리 페이빈이 2라운드 도중 허리 통증을 호소하여 성적이 전날보다 다소 부진하다가 그날 밤 한의 처방을 받고 이튿날부터 쾌조의 승리 길을 달렸다는 보도가 있었다.

일반적으로 젊은 골퍼가 앞으로 대성하기 위해서 하루 몇 백 개의 볼을 치다 보면, 앞에서 말한 언밸런싱으로 인한 스트레스가 허리에 쌓여 어느 날 통증을 느끼게 되고, 심하게 아플 때는 골프채를 제대로 휘두를 수 없게 되는 경우가 생긴다. 여자보다 남자의 경우가 더 많은 것 같다.

허리뿐만 아니라 사람에 따라서는 어깨와 갈비뼈의 이상을 호소하는 사람도 있고 손가락 통증을 호소하는 사람도 있으나, 요통이 가장 흔한 경우인 것 같다.

따라서 이것을 예방하려면 한두 시간에 집중적으로 볼을 치기보다는 적절히 시간을 조절하여 연습하는 요령이 필요하다. 그리고 자연스런 스윙 동작을 익혀 몸에 무리가 가지 않도록 하는 것도 중요하다. 다소 장거리를 내려고 존 댈리 흉내를 낸다든가 매일 드라이버만 갖고 연습하는 것 등은 좋은 방법이 아니다.

뿐만 아니라 연습 볼을 치고 난 뒤 또는 라운딩을 한 뒤 몸의 피로를 적절히 풀어 내일에 대비하는 것이 좋다. 운동이 끝난 뒤 탕에서 피로를 풀고 집에 돌아와서는 적당한 요가법을 써서 허리의 피로를 덜어 주는 데 마음을 쓴다면, 이를 사전에 예방할 수 있을 것이다.

D. 안경 쓴 골퍼

TV를 통해서 미국의 PGA 투어를 보면, 명선수 톰 카이트(Tom Kite)를 제외하고는 안경을 쓴 선수가 별로 없는 것 같다.

한편 시니어 투어(senior tour)에서는 보브 찰스(Bob Charles) 정도가 안경을 쓰고 있지만 전반적으로 안경을 쓰지 않는 것을 보면 시력이 상대적으로 좋다는 것을 알 수 있고, 또한 시력이 좋아야만 골프에서 좋은 성적을 올릴 수 있음을 알 수 있다.

물론 골프뿐만 아니라 모든 운동이 시력이 나쁘면 좋은 성적을 올릴 수 없을 뿐만 아니라 골프같이 야외에서 좋은 공기를 마시며 하는 운동이 건강에도 좋지만, 특히 눈에 좋다는 역설적인 결론도 나온다.

그러나 골프를 전업으로 하지 않는 아마추어 골퍼 중엔, 시력이 떨어져 안경을 쓴 상태에서 골프를 시작한 골퍼가 적지 않게 눈에 띈다.

골프가 200~250m 전방의 장애물 여부를 판정하여 티샷 방향을 정하고, 어프로치 시엔 정확한 거리 측정을 요하며 또 스코어 박스인 퍼팅 그린에서는 그린의 상태뿐만 아니라 홀과 볼과의 퍼팅 라인을 보면서 똑바로 쳐야 되는 운동이기 때문에 시력의 중요성은 한층 더하다.

시력과 관련하여 또 하나 핸디캡을 안겨 주는 것이 색맹이다. 완전 색맹은 드물지만 적록 색맹은 인구의 상당 부분을 차지하기 때문에 골퍼의 상당수가 적록 색맹이거나 색약일 경우가 많다.

　　　그런 때 제일 문제가 되는 것은 초록색 수풀을 배경으로 한 깃대의 위치가 잘 보여야 하는데 초록색 나뭇잎 속에 파묻힌 빨간 깃대를 구별하기 힘들어, 공을 칠 때 방향을 확인하지 못하고 치는 경우가 있다.

　　　외국의 경우는 그린 한가운데일 때는 그린의 깃대를 흰색으로, 보다 전방일 때는 빨간색으로, 그리고 후방일 때는 파란색의 깃대를 꽂아 구별하고 있어서 어프로치지 참고할 수 있도록 했지만, 이것을 구별하는 시력이 약할 때는 실타를 하게 된다.

　　　따라서 우수한 골퍼의 조건엔 건강한 눈도 절대 필요하다는 것을 알고 평소 눈 보호에도 힘을 써야 한다. 그리고 그러한 핸디캡을 안고 치는 경우엔 그만큼 더 인내와 노력이 필요함을 첨언해 둔다.

끝